NATURE ANATOMY

ネイチャー・アナトミー

自然界の解剖図鑑

地球の不思議をのぞいてみよう

文・絵：ジュリア・ロスマン
協力：ジョン・ニークラス
訳：神崎朗子

大和書房

街の外には
果てしない世界が広がっていることを
いつも思い出させてくれる
姉のジェスへ

CONTENTS

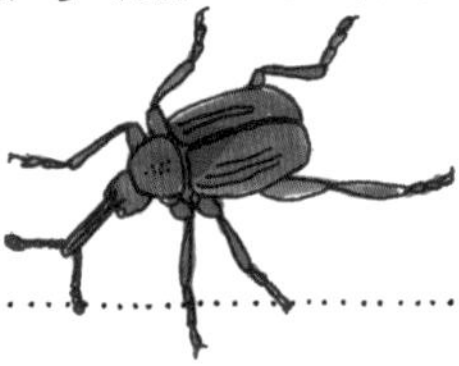

・〔　〕は訳注を表す。
・和名のない動植物については、英語名あるいは学名のカタカナ表記を記した。

INTRODUCTION
はじめに

2年前、前著『FARM ANATOMY（農場の解剖図鑑）』（未邦訳）を書き上げたわたしは、家畜の飼育や穀物の栽培方法、食料の保存法、動物の見分け方、収穫の仕方などについて驚くべきことをたくさん学んだことで、環境問題についてもっと知りたいという気持ちが高まりました。自然界について学び始めた都会生活者として、さらに学びを深めたいと思ったのです。

わたしはニューヨーク市ブロンクス区の小さな島、シティー・アイランドで育ちました。居住区の端には海岸《ビーチ》が広がっています。この島のほとんどの通りは海岸に通じているのです。海の向こうにはニューヨークのシンボルである摩天楼群が輝いていますが、貝殻を集めては分類したり、カブトガニの裏側をじっくり観察したり、しょっぱい海水を飲みこんだりするのは、わたしの子ども時代の生活の一部でした。夏には姉とふたりでキャンプに参加したり、ニューヨーク州北部の森へハイキングに行ったりしました。そんなときはテントで寝るのですが、過保護な母を安心させるために、虫よけスプレーを体じゅうに吹きかけたものです。

子どものころ、とにかく自然が大好きだったわたしは、家族みんなで自然豊かなメイン州で休暇を過ごしたり、近所の人が所有する丸太小屋《ログハウス》へ週末の小旅行に出かけたり、アウトドアの冒険ができるあらゆるチャンスを楽しみにしていました。ところが、そんなわたしもやがて大きくなると都会っ子《シティーガール》になったのです。10代のころはダウンタウンのクラブに通ったり、ロウワー・イースト・サイドあたりをうろついたりしていました。昆虫採集や結晶作り（科学の教師だった父の手ほどきを受け）が大好きだった子どもが、すっかり反抗的なティーンエイジャーに変身し、黒白チェックのタイツとデニムのスカートをはいて、ユニオン・スクエアでスケートボーダーたちを追っかけていたのです。

わたしがいま住んでいるのはブルック

リンのパーク・スロープという市街地なのですが、通りのすぐ先にプロスペクト・パーク〔ブルックリン最大の緑豊かな公園〕の入口があり、犬の散歩やランニングなどで毎日のように通っています。そんなちょっとした外出を「ネイチャー・ウォーク」などと呼ぶのは大げさかもしれませんが、1日のうちほんのわずかな時間でも緑に囲まれて過ごすひとときを、わたしは大切にしています。ぎゅうぎゅう詰めの地下鉄に揺られたあと、公園で草の匂いをかぐと、気持ちがおだやかになるのです。もっといろいろなことを知りたくて、わたしは公園をじっくりと観て回ります。あの葉っぱの美しい木はなんの木だろう？　去年見かけたあの花はいつごろ咲くのかな？　頭の上でひらひら舞っているのは、コウモリ？　つがいのトンボがあんなにたくさん、つながったまま飛んでいるなんてすごい！

わたしの好奇心は募るいっぽうで、そんなところから本書のアイデアが生まれました。こうして仕事のおかげでなつかしい場所を訪れ、子どものころに興味を惹かれた物事をふたたび味わえるようになったことを、うれしく思っています。

わたしの日々の散策を「ネイチャー・ウォーク」と呼ぶならば、この本を「ネイチャー・ブック」と呼んでもかまわないでしょう。たとえどんなに分厚い本であろうと、わたしたちのまわりに広がる果てしない世界のほんの一部分でも網羅することはできません。世界の果てはいったいどこにあるのでしょう？　星座から地球の中心核まで、学ぶべきことは無限にあります。そこで、わたしはこの企画を「わたしのネイチャー・ブック」と考えることにしました。わたし自身が興味をもって学びたいと思ったことや、描きたいと思ったものという意味です。部分的なほんのちっぽけなスケッチにすぎませんが、たまたま見かけたときに名前を言えるようになりたいと思っていた植物や動物、木々や虫たち、それに降雨や陸塊、海や湖にも、慣れ親しむきっかけになりました。

友人のジョンからは、つねに自然に関して多大な影響を受けています。彼の豊かな菜園で採れるものでどんな料理をこしらえるか、近所の庭で害虫にやられた果樹をどうやって救ったかなど、いろんな話をしてくれます。家の裏庭に生えているものでさえ、料理の素材にしてしまう人で

す。本書の企画に取り組むにあたって、わたしは文字どおり、彼にガイド役をお願いしました。わたしひとりでは見つけられないようなすてきなものに出合わせてほしいと頼んだのです。

ある日の午後、ふたりでプロスペクト・パークを歩いていたとき、ジョンが草や葉っぱを摘んで、食べてみて、とわたしに言いました。ひょっとしたら犬のおしっこがかかっているかも、と思うとちょっぴり心配でしたが、思い切って言われたとおりに葉っぱを口に入れ、かんでみました。その味に、わたしが思わず顔をしかめたのを見て、彼は笑い声を上げました。わたしたちは公園を歩き回りながら、草を摘んでは味見をし、苦みや甘みや食感について感想を言い合いました。こんな身近な場所に、こんなにたくさん食べられるものがあったなんて。まさかブルックリンの家の近所の公園で摘んだ草や葉っぱでカラフルなサラダが作れるとは、思ってもみませんでした。都会の公園でさえ食べ物がこんなに見つかるのですから、本物の深い森だったらどれほどたくさん収穫できるだろう、と想像してしまいます。

ジョンがいてくれなかったら、このような本はできあがらなかったでしょう。彼が先生でわたしは生徒でした。彼は本文の執筆や編集だけでなく、本書の構想を練るのも手伝ってくれ、わたしを導いてくれました。そしてついに、わたしは自分がどんな本を作りたいかがわかったのですが、どのページにも彼の意見やアイデアが詰まっています。

この本がとうとう形になり、手に取れる作品となったことをふたりとも誇らしく思っています。でもわたしはこれからも花の絵を描くのをやめませんし、空を見上げて『シブリーの鳥類図鑑（The Sibley Guide to Birds）』（未邦訳）に載っている鳥たちを見つけるのもやめません。ジョンもあいかわらず、来年の菜園の作付け計画や、お目当ての自然現象を観にいく旅の話などをしてくれるでしょう。どんなものであれ、身のまわりの自然をじっくりと味わうことは、わたしたちにとって生涯かけて取り組んでいく課題であり、本書はその小さな証にすぎません。わたしたちの本がきっかけとなって、あなたもご自宅の裏庭に興味が湧いてきますように——たとえそれがなだらかな丘であっても、非常階段に置かれたプランターであっても。

ジュリア・ロスマン

Julia Rothman

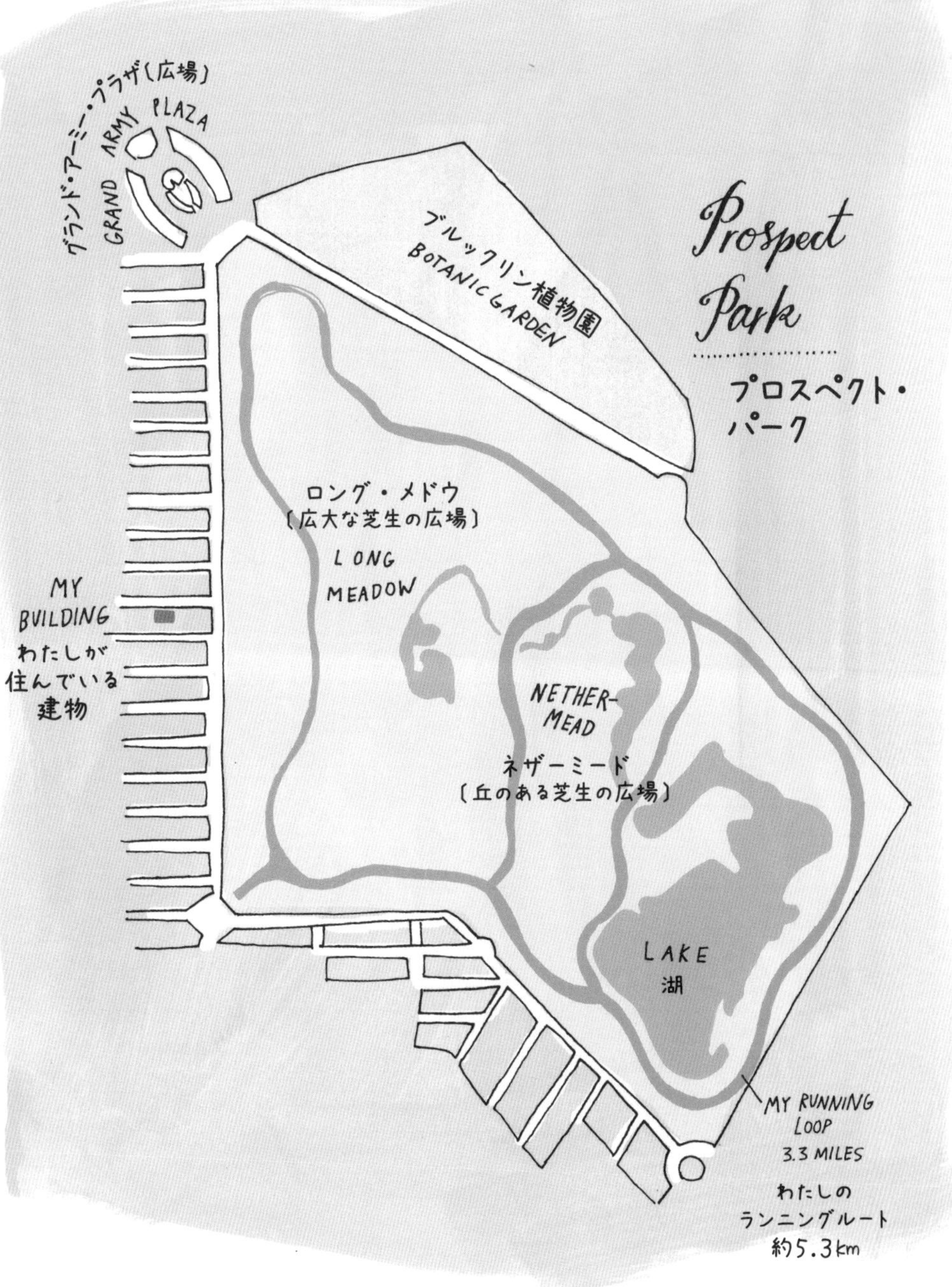
Prospect Park
プロスペクト・パーク
グランド・アーミー・プラザ〔広場〕
GRAND ARMY PLAZA
ブルックリン植物園
BOTANIC GARDEN
ロング・メドウ
〔広大な芝生の広場〕
LONG MEADOW
MY BUILDING
わたしが住んでいる建物
NETHER-MEAD
ネザーミード
〔丘のある芝生の広場〕
LAKE
湖
MY RUNNING LOOP
3.3 MILES
わたしのランニングルート
約5.3km

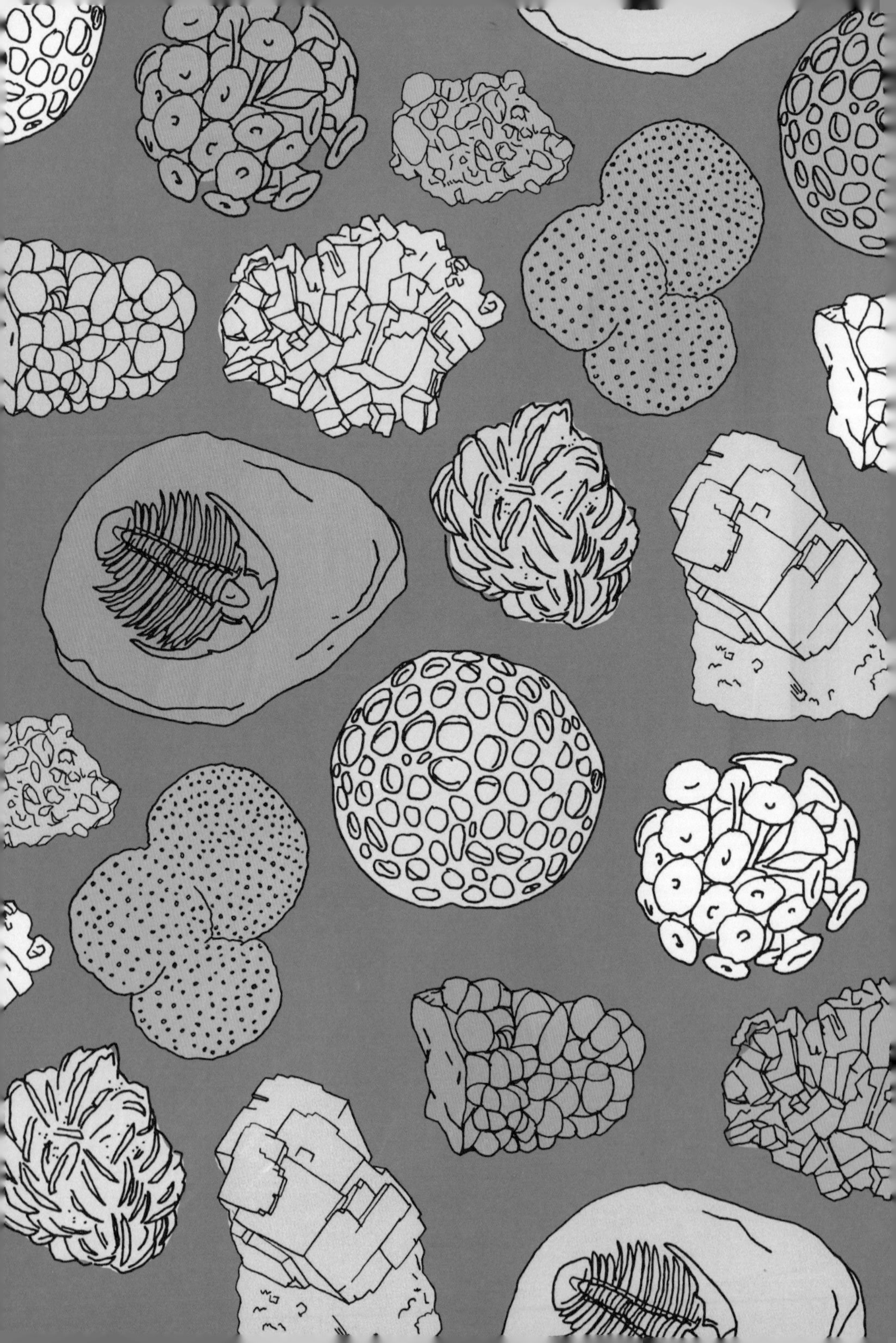

CHAPTER 1

Common Ground

みんなの大地

REALLY MOVING

地球はまさしく動いている

地球は地軸を中心に1日1回自転している。そのスピードは、いちばん速い赤道付近で時速約1670km。ただし、地軸は公転軌道に対して垂直ではなく、約23、4度傾いている。

夏が冬より暖かくなるのは地軸が傾いているため。夏は昼間の時間が長く、太陽光が地球に対して正面からよく当たるいっぽう、冬にはあまり当たらなくなる。

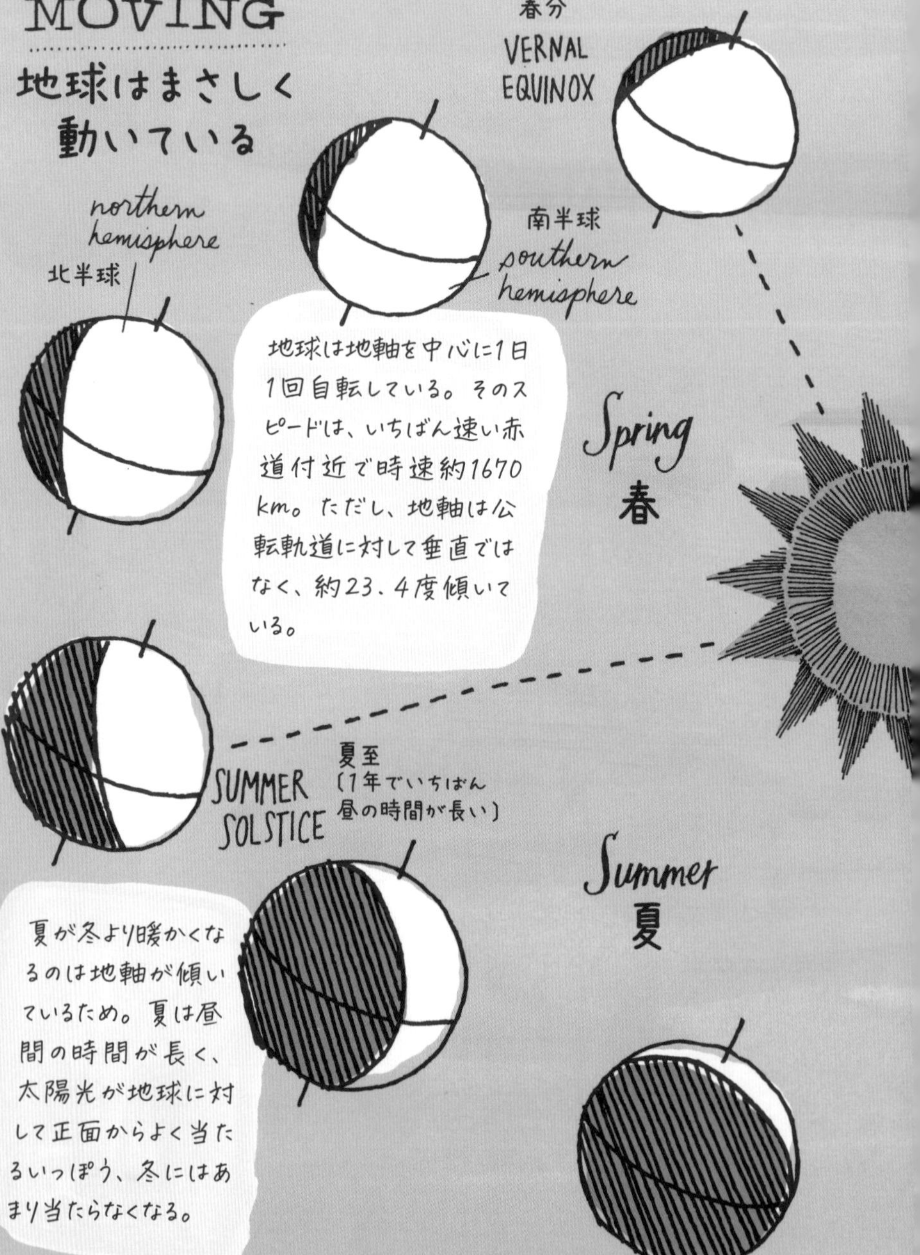

地球の公転速度は時速約11万kmで、自転速度よりずっと速い。地球の広大な海洋と大陸は、70億人の人類を含む800万種以上の生物の命を支えている。

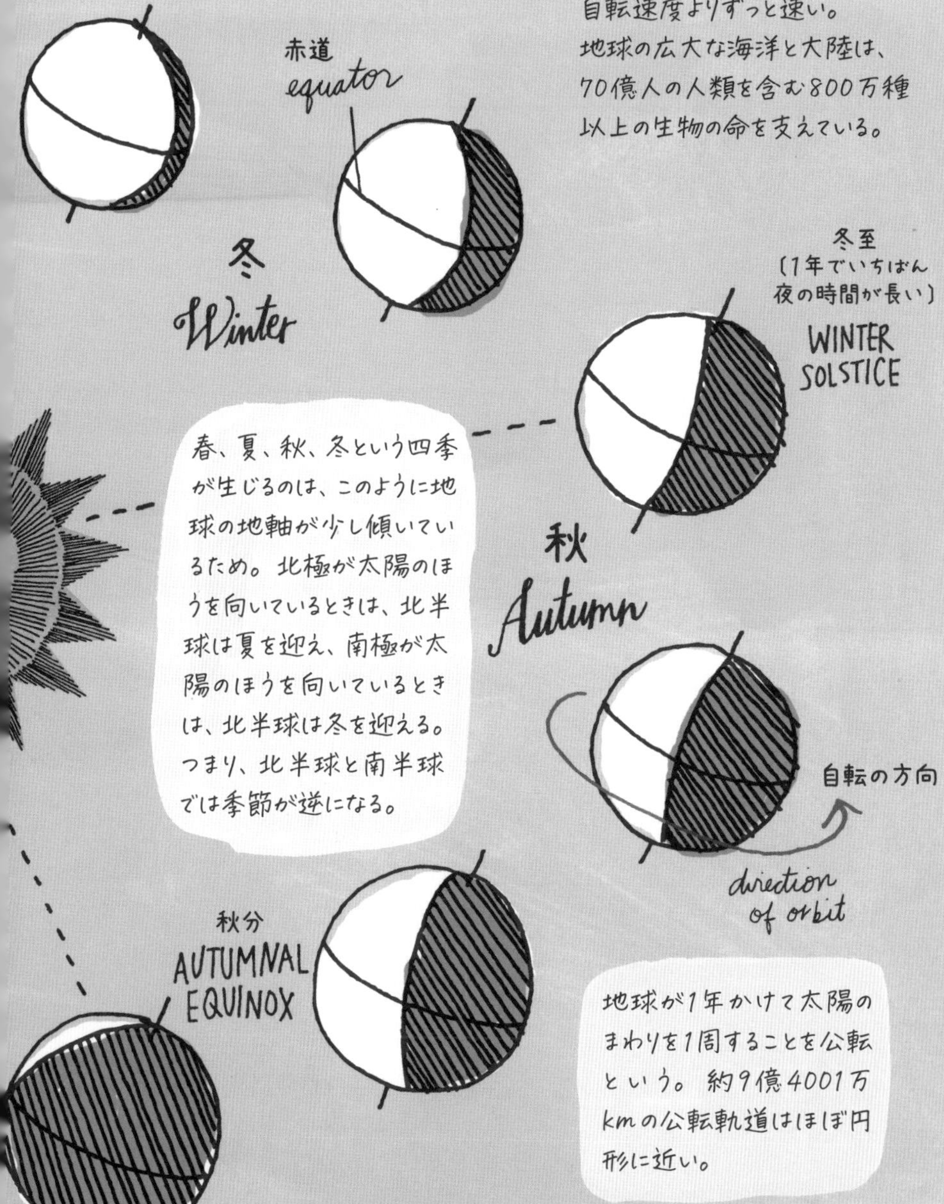

春、夏、秋、冬という四季が生じるのは、このように地球の地軸が少し傾いているため。北極が太陽のほうを向いているときは、北半球は夏を迎え、南極が太陽のほうを向いているときは、北半球は冬を迎える。つまり、北半球と南半球では季節が逆になる。

地球が1年かけて太陽のまわりを1周することを公転という。約9億4001万kmの公転軌道はほぼ円形に近い。

〔北半球の四季。南半球では季節が逆になる。〕

Layers of the Earth

地球の内部構造

地球が誕生したのは約46億年前。地球の構造についてわかっていることの大部分は、地震のときに地球の内部を伝わっていく地震波の速度を研究することで明らかになったものだ。地球の内部ははっきりとした層に分かれ、それぞれの層に特徴がある。

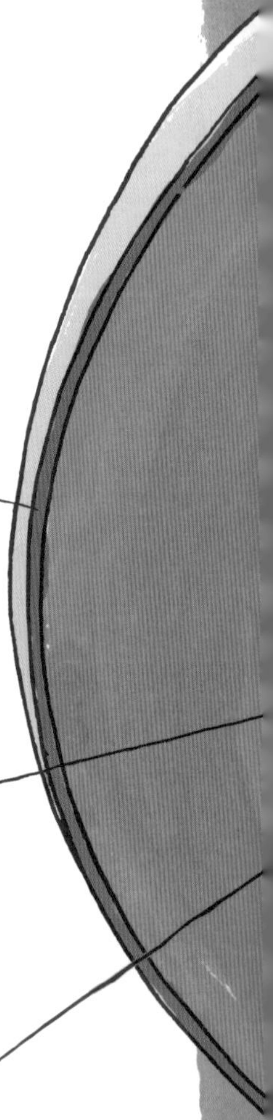

CRUST

地殻

地殻の厚さは約5〜70km。海底の海洋地殻は薄く、大陸地殻は分厚い。地殻は地球全体の体積の1%にも満たない。

MANTLE

マントル

鉄とマグネシウムを多く含むケイ酸塩岩の層で、非常に高温（約500〜3980℃）でゆっくりと対流している。マントルの上に乗っているプレート〔岩盤〕がずれ動くと、地震が発生する。マントルは地球の体積の84%を占めている。

OUTER + CENTRAL CORE

外核＋内核

核は二つの部分からなる。外核はおもに溶けた鉄でできている。いっぽう内核は鉄とニッケルの合金で、太陽の表面温度〔約6000℃〕とほぼ同じだが、圧力が非常に高いために結晶化して固体となっている。

Minerals

鉱物

鉱物は無機物によって天然に産出される固体物質。これまで4000種類以上が確認されており、毎年新たな鉱物が見つかっている。

RHODOCHROSITE
ロードクロサイト

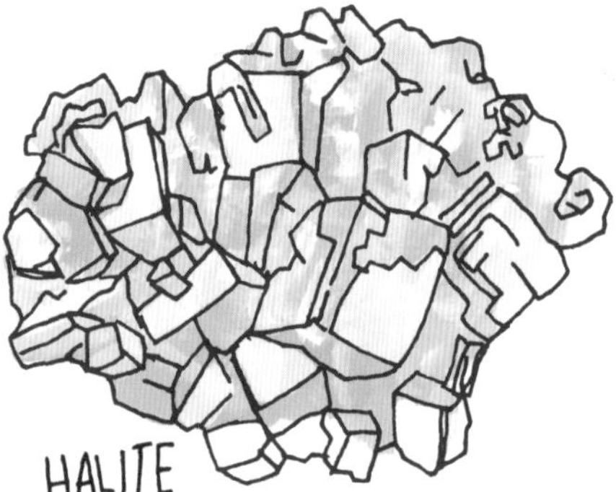

HALITE
ハライト（岩塩）

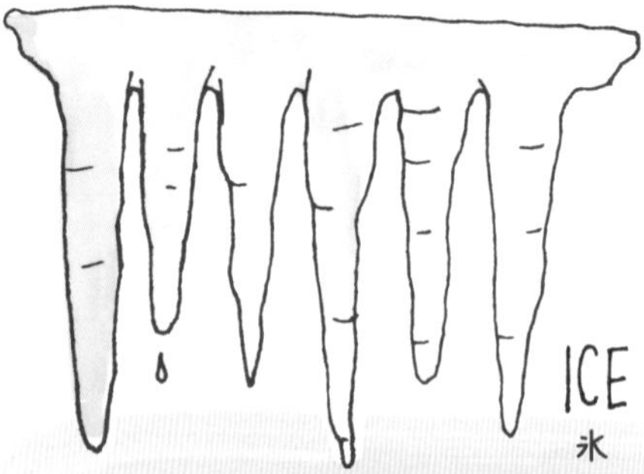

ICE
氷

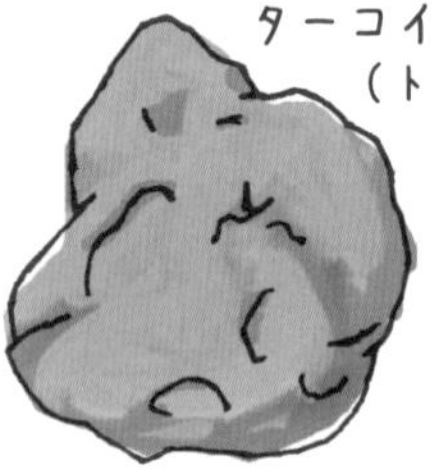

TURQUOISE
ターコイズ
（トルコ石）

液体の天然水は鉱物ではないが、
天然水が自然に固まった天然氷は地球上で
もっとも一般的な鉱物のひとつ。

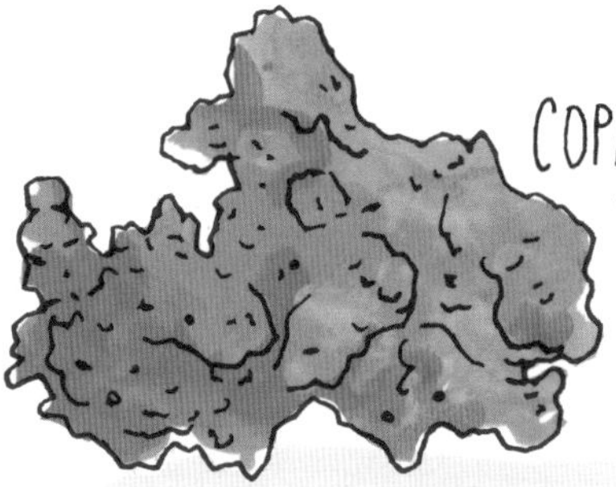

COPPER
銅

砂漠のバラ
GYPSUM
DESERT
ROSE

鉱物は結晶によって生成される。

——溶液の蒸発によるもの
（例：塩水が蒸発して塩になる）

——冷却によるもの
（例：天然水が凍る、マグマが固まる）

——周囲の圧力や温度変化によるもの
（断層や地殻変動が活発な地域でよく見られる）

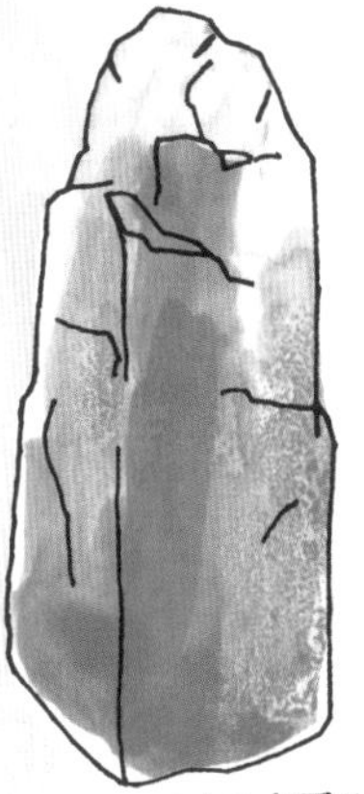

JEREMEJEVITE
ジェレメジェバイト

クオーツ
QUARTZ

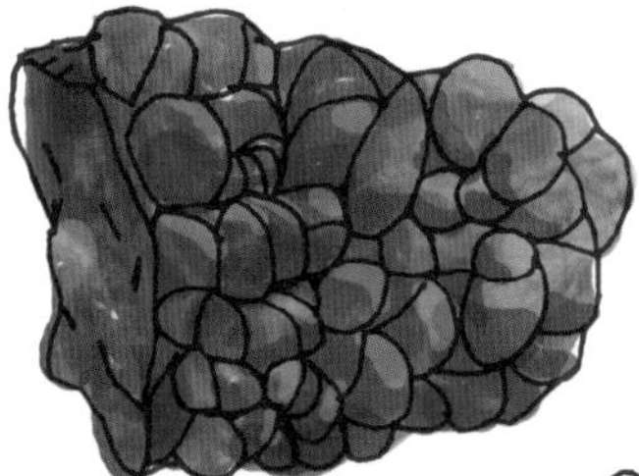

HEMATITE
ヘマタイト

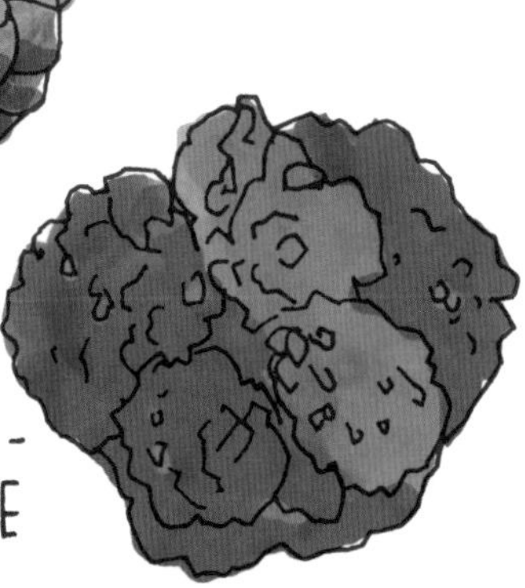

AZURITE-
MALACHITE

アズライト〔青〕／マラカイト〔緑〕

The Rock Cycle

岩石サイクル

岩石は長大な時間の流れのなかでダイナミックに変化し、さまざまな種類に姿を変える。

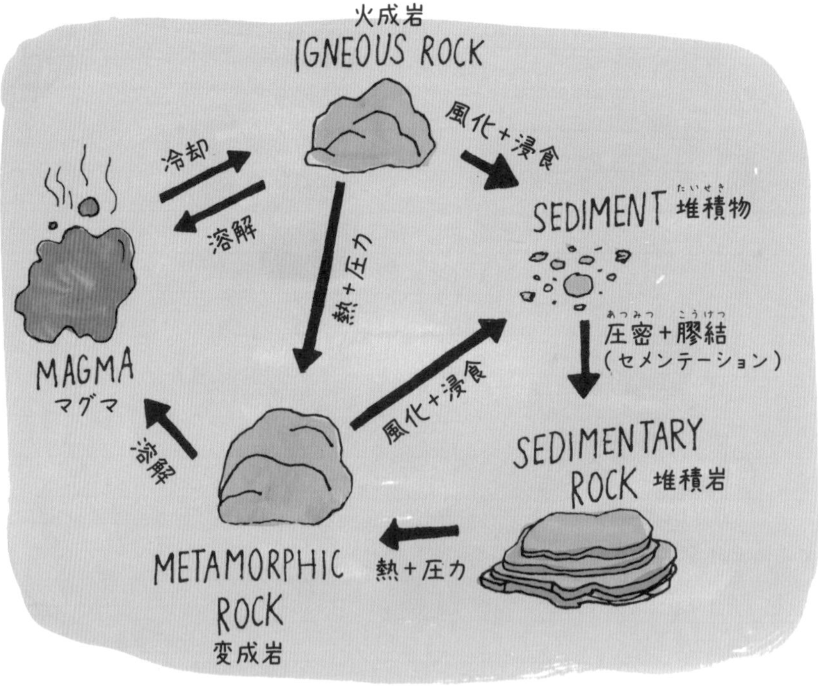

岩石は熱、圧力、摩擦、風化といった自然の力によって変容したり、破壊されたりする。

岩石はその生成の過程によって次のように分類される。

Igneous 火成岩

マグマとは、地下の高温で溶けた岩石のこと。
マグマが地表やその付近で冷えて固まると、火成岩となる。

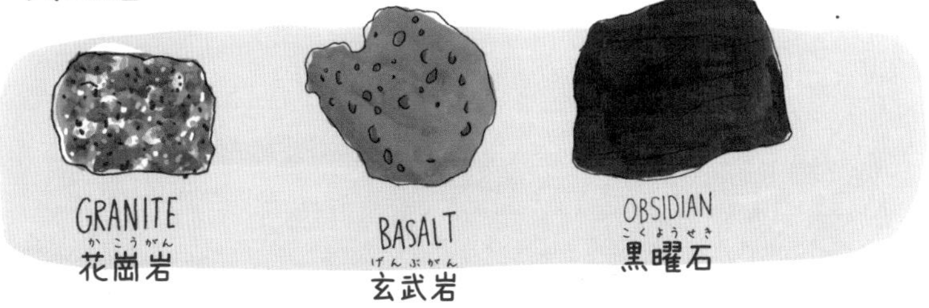

Sedimentary 堆積岩

何千年ものあいだに鉱物のかけらが堆積して層を形成するなかで、水や堆積物の重みによって圧力がかかり、鉱物が押しこめられて固まったもの。

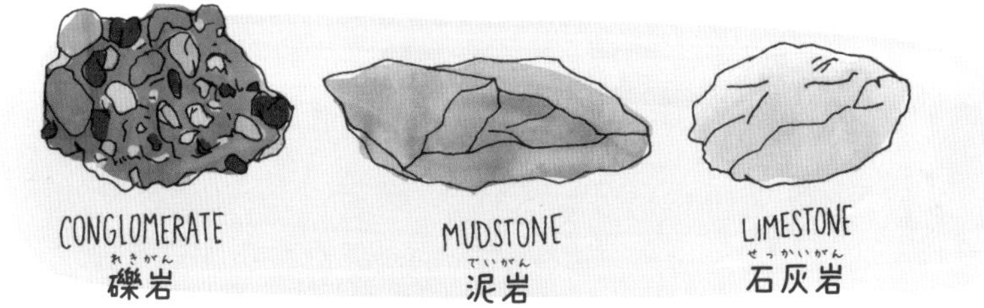

Metamorphic 変成岩

火成岩や堆積岩が高圧力や高温にさらされることにより、鉱物構造が変化して変成岩となる。

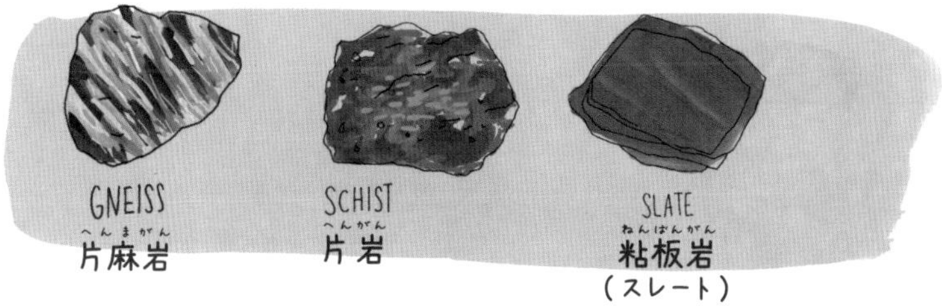

Fossils
化石

生物が化石となって残る確率は非常に低い。化石になるには、生物が死んでまもなく体が砂や泥などに覆われる必要がある。体の小さな孔《あな》（毛穴や気孔《きこう》など）や空洞部分にミネラル分を多く含んだ水が入りこみ、やがて骨などだけが残る。長大な時間の経過と圧力によって、水中のミネラル分が体の構造に沈着して固まり、立体的な化石ができあがる。

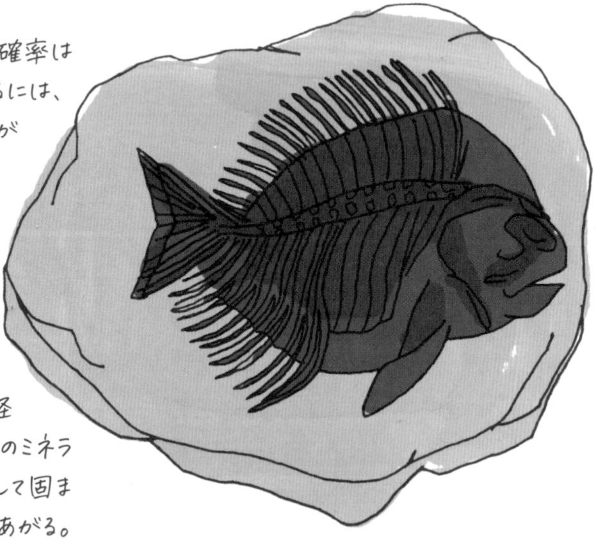

ワイオミング州南西部のグリーンリバー層から出てきたパーチ〔スズキ目〕の化石

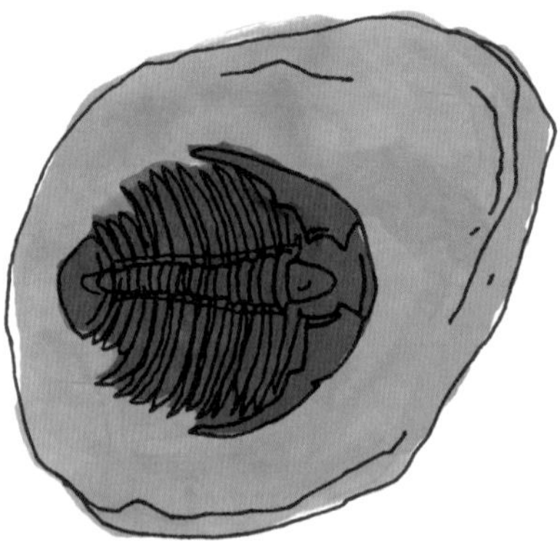

ユタ州ミラード郡のマージュム層から出てきた三葉虫《さんようちゅう》の化石

生物の体のすべての部分が化石になるわけではない。皮膚や内臓などのやわらかい部分は、化石になる前にたいてい腐敗してしまう。

Microfossils

微《び》化石

博物館に展示されているのは、1mm以上の大きさがあって肉眼で見える大型化石。それよりはるかに多いのが微化石で、バクテリア、珪藻《けいそう》、菌類、原生生物、花粉などが、ごく小さな化石になったものだ。無脊椎《むせきつい》動物の殻や骨格、脊椎動物の骨や歯なども微化石になっている。微化石はあらゆる種類の堆積岩のなかに大量に含まれている。

円石藻《えんせきそう》の一種

Discosphaera tubifera

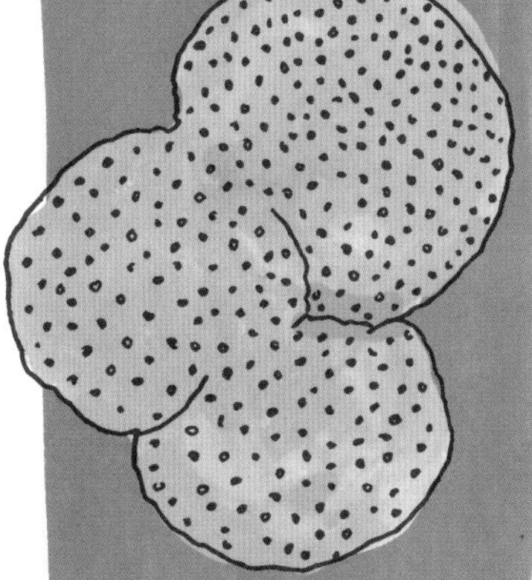

fossil shell of a planktonic foraminifera

浮遊性有孔虫《ふゆうせいゆうこうちゅう》の化石

エジプトのピラミッドは、代表的な微化石のひとつである有孔虫の殻からできた堆積岩を使って建造された〔有孔虫とは硬い殻に孔がたくさんあいている海の原生生物〕。

いずれも実物の数百倍に拡大！

Radiolaria

放散虫《ほうさんちゅう》

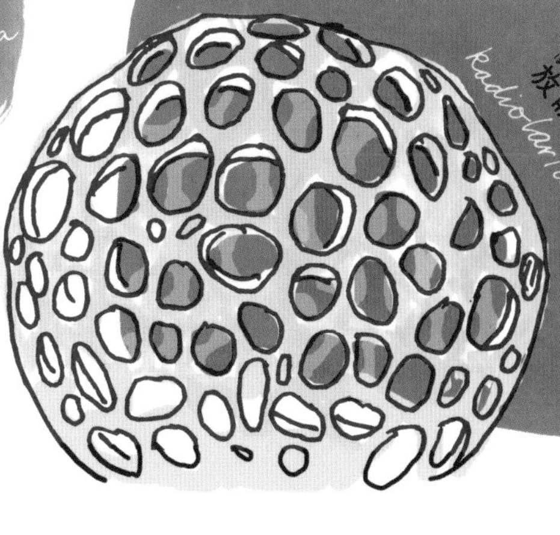

LANDFORMS
地形

Canyon

峡谷《きょうこく》

両側が切り立った崖からなる深くて狭い谷。何百万年もかけて、川岸の岩や山肌が激しい水の流れに削られてできたもの。

Antelope Canyon, Arizona

アンテロープ・キャニオン
（アリゾナ州）

この深くて狭い峡谷はナバホ砂岩層が鉄砲水などに浸食されて形成された。流れるような縞《しま》模様の岩肌で知られる。

Nine Mile Canyon, Utah

ナイン・マイル・キャニオン
（ユタ州）

峡谷の崖には、先史時代のペトログリフ〔岩石に刻まれた意匠や文字〕が見られる。

The Grand Canyon, Arizona

グランド・キャニオン
（アリゾナ州）

全長約446km、最大幅29km、深さ1.6kmの世界最大規模の峡谷。

Cataract

滝・瀑《ばく》布《ふ》

切り立った崖からほぼ垂直に落下する河川の水の流れ。

Yosemite Falls, California

ヨセミテ・フォールズ
（カリフォルニア州）

北米で最大の落差を誇る滝。

Niagara Falls, border of Ontario, Canada, and New York

ナイアガラ・フォールズ
（カナダのオンタリオ州とアメリカのニューヨーク州のあいだの国境に位置する）

南米のイグアスの滝、アフリカのヴィクトリアの滝と並んで「世界三大瀑布」と呼ばれる。

Delta

三角州《す》

河川が海や湖に流れこむ際に運ばれてきた
沈泥《ちんでい》（シルト）や砂礫《されき》が堆積してできた
三角形の平らな土地。

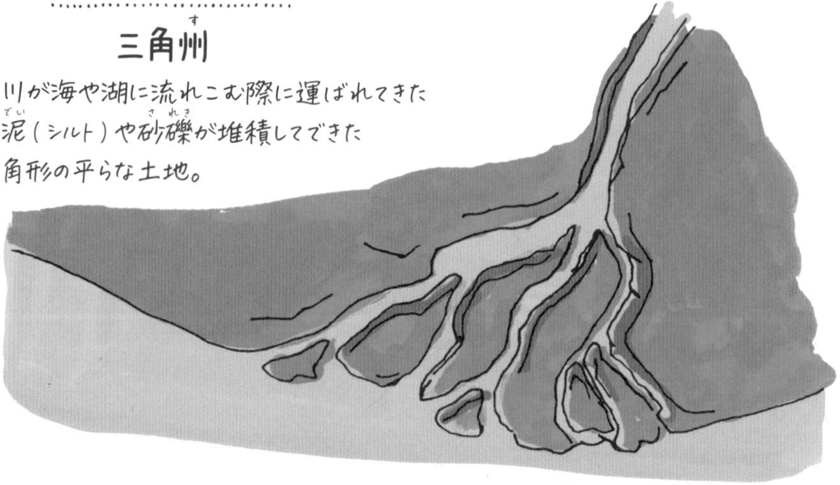

Alluvial Fan

扇状地《せんじょうち》

河川に運ばれて堆積した大量の土砂が扇状に広がった地形。
峡谷が山地から平野にさしかかるところに形成される場合が多い。

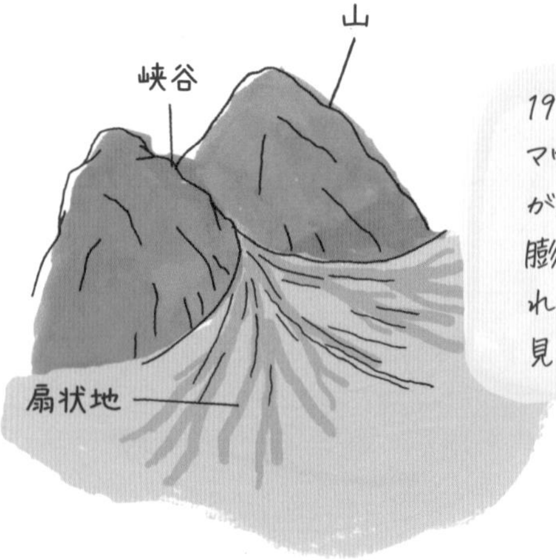

1982年7月15日、コロラド州ロッキーマウンテン国立公園のローンレイクダムが決壊。85万m^3の大量の水によって膨大な量の瓦礫《がれき》が扇状地に運ばれ、数十年たった現在でも残骸《ざんがい》が見られる。

Archipelago

群島・列島

海洋において複数の島々が密集しているか、鎖状に連なっているもの。

Isthmus

地峡

二つの陸地をつなぐ細長い陸地。

Arête

アレート

おもに氷河の浸食作用によって両側を削られてできた、鋭くギザギザした岩尾根。

Col

コル

二つの峰をつなぐ稜線《りょうせん》のもっともくぼんだところ。鞍部《あんぶ》ともいう。

Plateau

プラトー（台地）

表面が平坦で周囲より一段と高く、ほぼ水平な地層からなる地形。

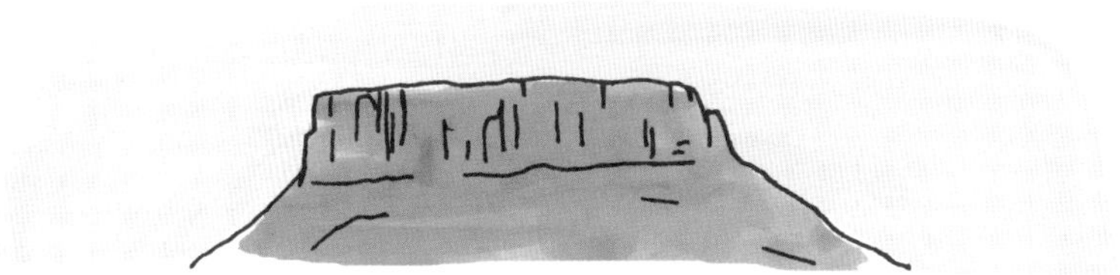

Mesa

メサ

浸食に強い岩石の層が取り残されてできた台状の地形で、周囲を急な崖で囲まれている〔メサはスペイン語でテーブルの意〕。

Butte

ビュート

メサよりも小規模な塔状の地形。
かつてはメサだった場合が多い。

MOUNTAINS

山

地球の表面を覆う十数枚のプレートが移動したり、衝突したり、崩れたり、滑ったりするプレートテクトニクス〔地震、火山活動、造山運動などの地球上の地学現象をプレートの運動によるものとする考え方〕によって、山は長い時間をかけて形成される。山岳地帯の気候帯、標高、勾配はさまざまに異なっており、独自の動植物が生息している。

山にはおもに褶曲《しゅうきょく》山脈、地塊《ちかい》山地、火山の3つのタイプがある。

Fold Mountains

褶曲山脈

地球のプレートが衝突したり、地殻変動によって横からの圧力を受けたりすると、地殻が波形に曲がる場合がある。アパラチア山脈やロッキー山脈のほとんどは、このような地殻の激しい運動と関係がある。

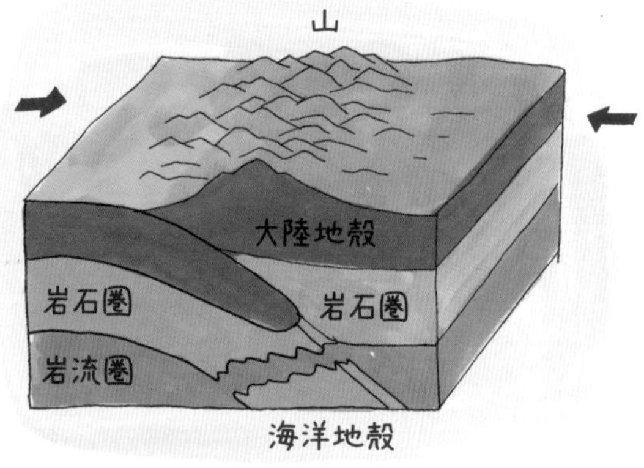

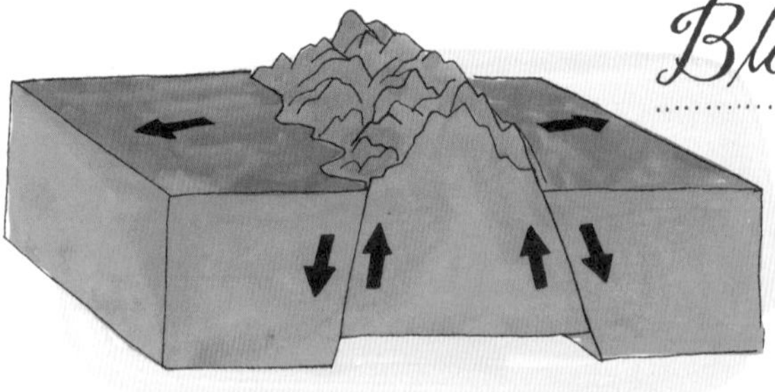

Block Mountains

地塊山地

地塊山地あるいは断層地塊山地の特徴は、カリフォルニア州のシエラネバダ山脈に見られるような、巨大な切り立った岩肌だ。これは地殻変動によって周囲から断裂し、その一部が隆起して成長したもの。岩盤や地層の割れ目に沿ってずれているところを断層という。断層の片側で岩盤が隆起するいっぽう、逆側の岩盤が沈みこむことで、急激な断崖絶壁が形成される。

Volcanic Mountains

火山

地殻変動によってプレートが隣のプレートの下に潜りこむ際、水を含んで溶けた岩石が上昇して火山が形成される。火山から噴出するマグマは、個体である地殻やマントルが高温によって溶けた液体の岩石物質だ。

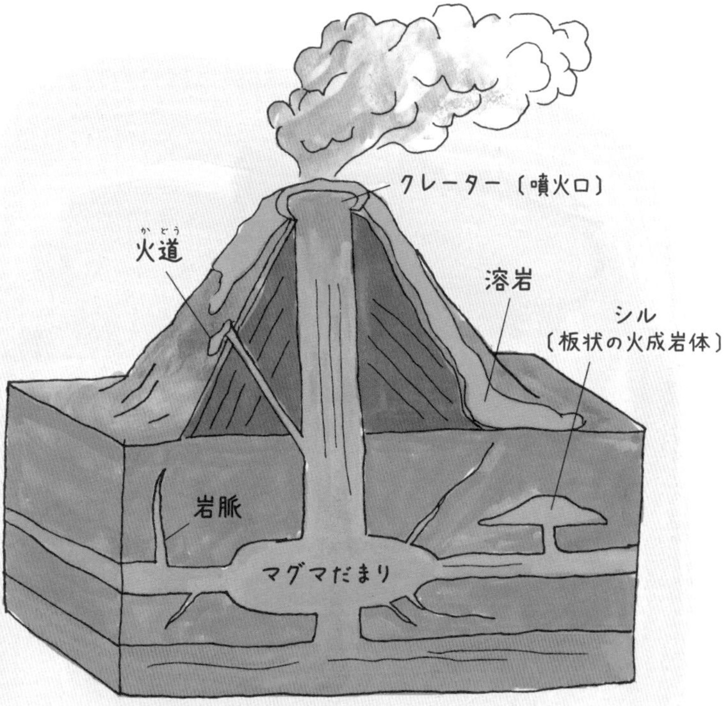

過去1万年において、
約1500の火山が活動していた
ことが明らかになっている。

NORTH AMERICAN LANDSCAPES

北アメリカ（北米）の風景

Deserts
砂漠

砂漠の年間降水量は250mm未満のことが多いが〔世界平均は880mm〕、そんな乾燥の激しい土地でもたくさんの動植物が見られる場合もある。

砂漠の動物たちは、昼間の乾燥した暑さを避けるため、日かげで寝たり地中に潜ったりしている。乾期には休眠状態になる動物もいる。

砂漠の植物は水分を長期間蓄《たくわ》えることができる。なかには、水分を欲する動物たちに食べられないように、トゲや葉針《ようしん》を備えている植物もある。まるで生き急いでいるかのように、発芽してからあっという間に開花する植物もあり、めずらしく雨が降ったあとの数週間で一生を終えてしまう。

Grasslands

草原

地球の大部分の地域には、スゲやイグサなどが生い茂り、木々の生えていない広大な草原が自然に生まれる。あらゆる地形のなかでも、草原の土壌はもっとも深い。人の手や自然災害によって撹乱《かくらん》されていない草原の豊かな土壌は、深さ3mにもおよぶことがある。

Sandy Shore

砂浜

陸地と外洋が接するあたりでは、絶え間なく打ち寄せる波が岩や貝殻をくだいて、細かい砂を作りだす。風と波によって海岸線はつねに移動し、変化している。耐塩性のビーチグラス〔イネ科の植物〕やイグサ、ヒース、ハマナスなどの植物が、沿岸砂丘や砂浜を支えている。

Rocky Coast

岩石海岸

入り江や島や岬などの岩だらけの海岸線では、激しい波の力によって岩壁が削られてアーチ状になり、洞窟ができる。海面から離れた安全な岩場には海鳥たちが巣を作り、断崖には海風によって成長を妨げられた針葉樹がへばりつき、波しぶきのなかには藍藻《らんそう》や地衣類が生息している。1日の大半を水につかっている場所では、褐色の海藻やイガイがよく育つ。浅瀬にはカサガイ、フジツボ、ケルプ〔大型の褐《かっ》藻《そう》類〕などが生息している。

Moist Coastal Forest

湿潤地帯の海岸林

大きなシダやコケが繁茂《はんも》し、巨木が立ち並んでいるせいで、湿潤地帯の海岸林は悠久の大地のような印象を与える。温暖な海洋性気候によって、雨や霧による安定した水分が供給されるため、植物たちはほぼ1年中成長することができ、巨大になる場合がある。

Swamp
沼地

森林に覆われた湿地帯では、野鳥の生態は目をみはるほど多様だ。たくさんの両生類や魚類、哺乳類が生息している。ゆったりと流れる水面《みなも》にはウキクサやスイレンが広がっている。温暖な南部の沼では、ワニやカメやヌママムシなどがひなたぼっこをしているのを見かける。

Sphagnum Bog

ミズゴケ湿原

ほとんどの湿原は、長い年月のあいだに
水域から森林地帯へと姿を変えていく。

ミズゴケは北部の湿地の植物で、氷河期にできた窪地に特有の湿地帯の生息環境を作りだしている。ミズゴケは非常にゆっくりと腐敗し、分厚い泥炭の層を形成する。ミズゴケ湿原の寒冷な微気候のなかでも、スゲ、ラン、ラブラドルチャ〔ツツジ科の低木〕、食虫植物などは見られる。湿地帯は酸素が不足しやすく、泥炭層で酸化が進むため、魚などの水生生物はほとんど見られない。

沼地のレミングのフンは、
あざやかな緑色！

Field Succession

耕地の植生《しょくせい》遷移

耕地や伐採地を放置しておくと、ゆっくりと野生の状態へ戻っていく。植生遷移とは、ある場所の植生が時間の経過とともに移り変わっていく現象をさす。

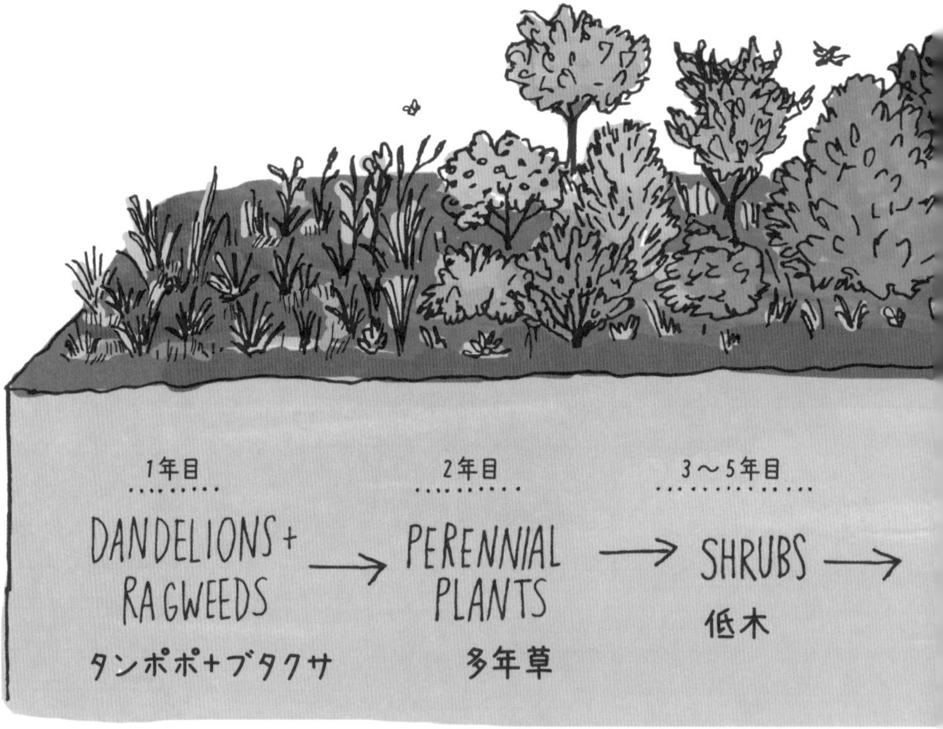

温帯地域で初期に見られるのは、耐寒性があり、直射日光に強いタンポポやブタクサ、シロザなどの品種。やがて、アザミ、ノラニンジン、トウワタなどが茂るようになる。

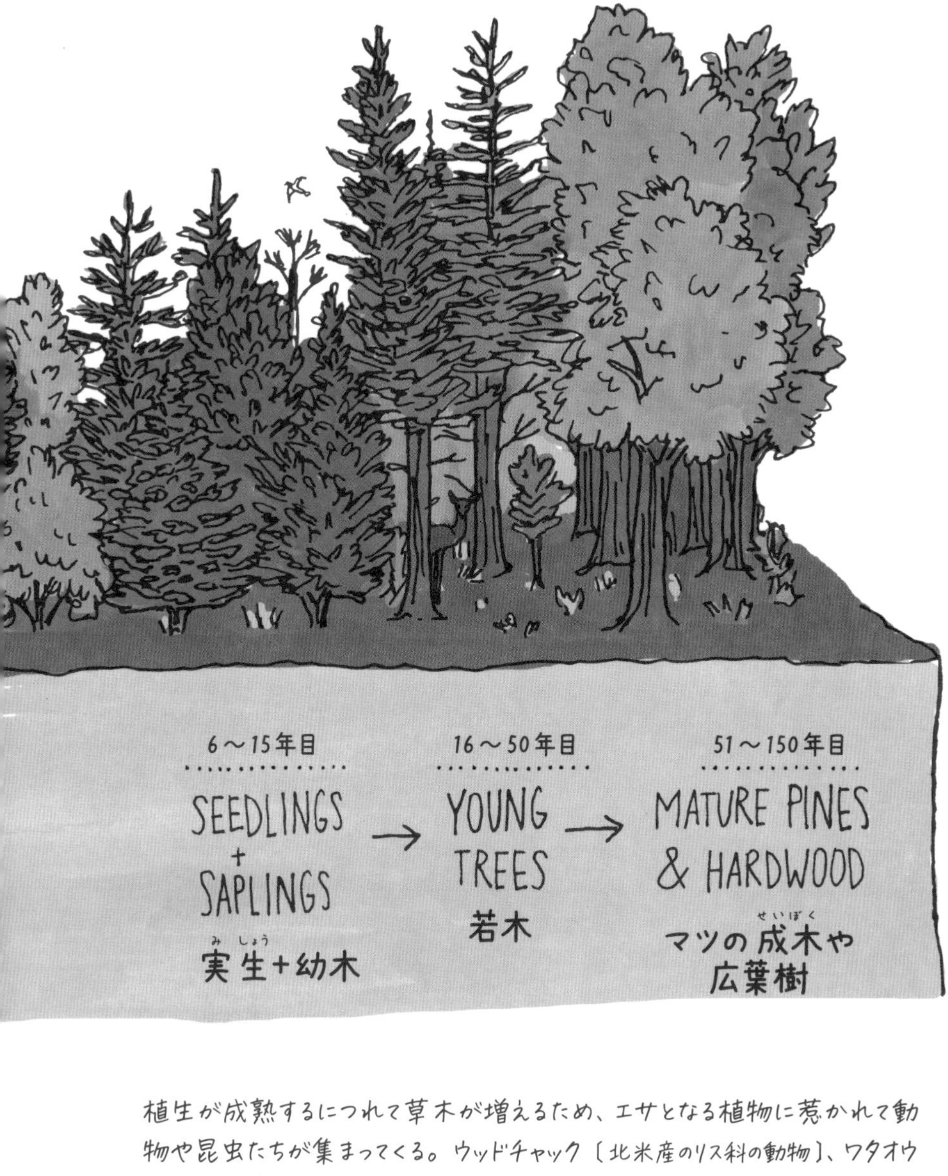

植生が成熟するにつれて草木が増えるため、エサとなる植物に惹かれて動物や昆虫たちが集まってくる。ウッドチャック〔北米産のリス科の動物〕、ワタオウサギ、キツネ、シカなどのほか、チョウ、スズメ、マキバドリ、ウズラなども見られるようになる。鳥やリスたちは、アメリカザクラ、オーク〔ブナ科コナラ属の落葉広葉樹の総称〕、クワ、アメリカハゼノキなどの木の種子を巣や巣穴に貯蔵する。

Loose Landscape Painting
描きこまない水彩画（ルースペインティング）

TOOLS 用意するもの

- 水彩絵の具、グワッシュ〔不透明水彩絵の具〕（わたしのお気に入り。本書のイラストはグワッシュで描いています）、クレヨン、色鉛筆など、好きな筆記用具。
- 厚紙や小さなキャンバス
- 中〜大サイズの絵筆

INSTRUCTIONS 手順

心惹かれる風景を見つけ、被写体がちょうどよい感じに見える、静かで居心地のよい場所に座る。目をすぼめて、ピントが合っていないぼんやりとした風景を見てみよう。細部を見ようとせず、風景をいくつかの色の塊としてとらえてみる。

大きな筆使いで色を塗っていく。実際の景色とそっくり同じ色合いでなくても、色同士のコントラストがあざやかになるように心がける。ページ全体が埋まるまで色の塊を加えていき、余白を残さないようにする。白い部分がほしい場合は余白を残すのではなく、白色を塗ろう。

TIPS ポイント

絵筆は筆先から少し離れたところをもったほうが筆先を楽に動かすことができる。少しずつ色使いを変えながら同じ風景をたくさん描き、色使いによってどれくらいイメージが変わるか試してみよう。

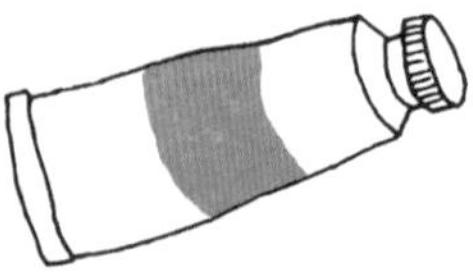

CHAPTER 2

What's Up?

空の上には何がある？

UP IN THE ATMOSPHERE

大気圏《たいきけん》

大気圏とは地球を包んでいる大気の分布する範囲。

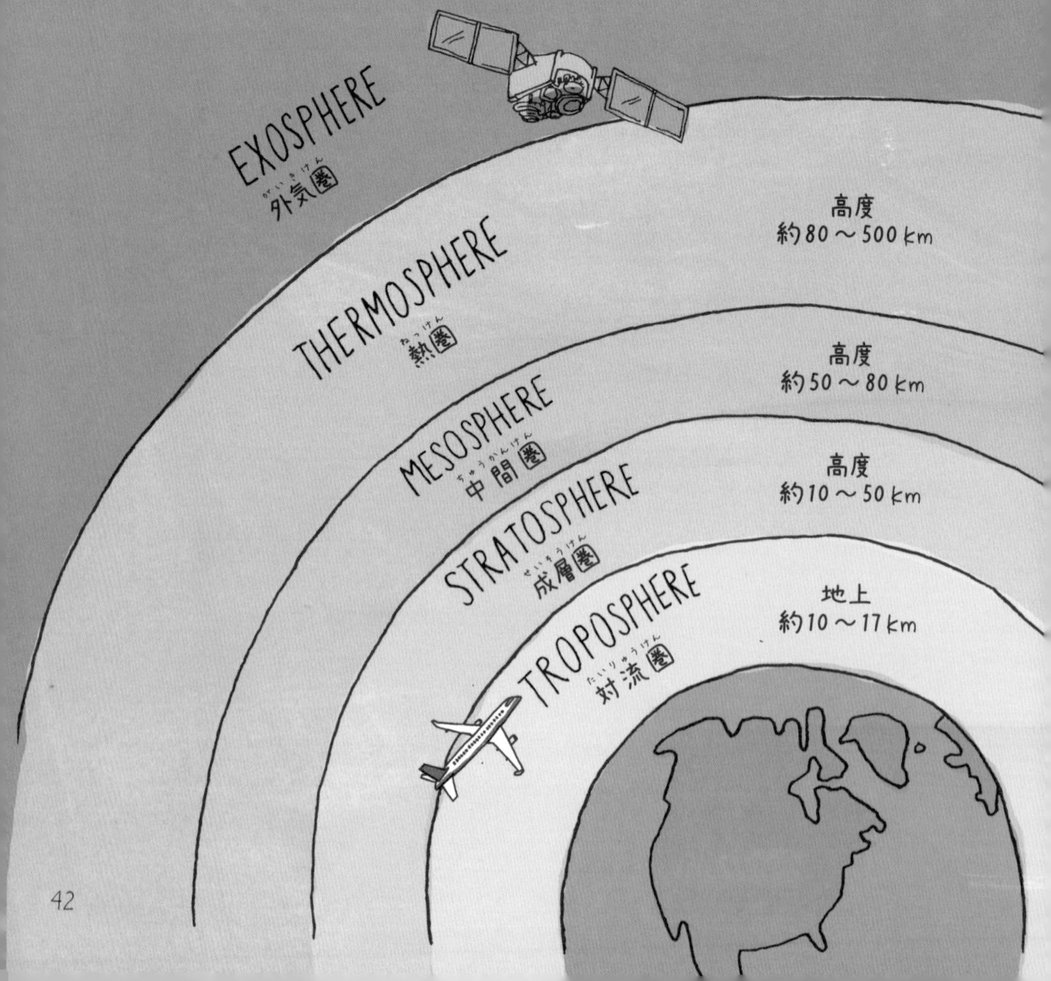

対流圏は大気圏のもっとも低い層で、ほぼすべての気象現象はこの領域で発生する。地上から高度10〜17kmの領域をさす。

成層圏には大気中のオゾンの約90%が存在しており、水蒸気はほとんど存在しない。

中間圏を上昇するにつれて、酸素分子などの気体の密度は小さくなっていく〔地表付近の大気の1万分の1程度〕。

熱圏は上層大気とも呼ばれる。この大気層の分子に太陽の紫外線やX線が吸収されて、温度が急激に上昇する。

外気圏では気体分子や原子が宇宙空間に逸出《いっしゅつ》し、人工衛星が地球を周回する。

Predicting Weather

天気を予測する

ハイキングのときに不意を突かれて困らないよう、天気を予測する方法をご紹介。

CLOUD FORMATION

雲の形成

ある種の雲は、降雨や荒天のきざしとなる。

MORNING DEW

朝露《あさつゆ》

朝露がたくさんある場合は、露が乾くほど強い風が吹いていないということ。たいていの場合、晴天になるしるし。

FLIGHT PATTERNS

鳥の飛び方

嵐が近づいてくると、鳥たちは気圧の変化で耳が痛くなるため、地上付近を飛ぶ。

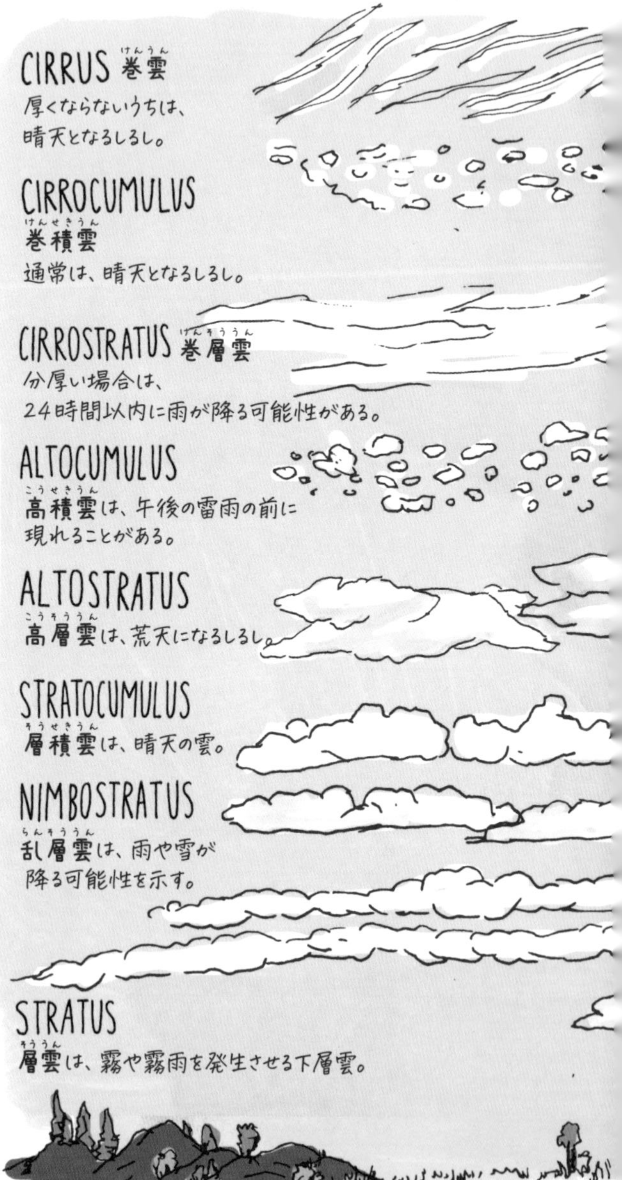

CUMULONIMBUS
積乱雲《せきらんうん》は通常、荒天になるしるし。
5
8.0km
4
6.4km
MILES
マイル
3
4.8km
2
3.2km
1
1.6km
CUMULUS 積雲《せきうん》
晴天の雲

The Water Cycle

水循環《みずじゅんかん》

自然界において、水はつねに動きながらその姿を変えていく。小川から河川や海へと流れこみ、湖や海から蒸発して大気に含まれ、やがて雨となって大気中から大地へと戻っていく。この循環によって水はゆっくりと浄化され、新鮮な水で大地を潤す。

Fog vs. Mist

霧《きり》と靄《もや》

霧と靄は地表付近や大気中に無数の微小な水滴が浮遊している現象。どちらも大気と地表の温度差が大きいときに発生する。近くの水域や湿った地面から水蒸気が発生し、水滴に変化して霧や靄となる。

霧と靄のおもなちがいは、霧の場合は視程が1km未満だが、靄の場合は視程が1km以上であること。

雷雨《らいう》

寒気と暖気がぶつかると、嵐が発生する。暖気が上昇すると地表の気圧が下がって、真空効果が生じる。そこへ寒気が流入し、暖気がさらに上昇することによって乱気流が発生し、強風が吹いたり、雨やあられ、ひょうが降ったりする。

雷《かみなり》

空気中には大量のイオン（電荷《でんか》を帯びた原子または原子団）が存在する。雷雲の上層と下層にはプラスの電荷、中層にはマイナスの電荷が集まっている。このような電荷の偏りが大きくなると、中和するためにマイナスの電荷が下へ移動し、雷（稲妻＋雷鳴）が発生する。雷は積乱雲のなかや、雲と雲のあいだで発生することもあれば、雲と地表のあいだで発生すること〔落雷〕もある。ちなみにゴロゴロという雷鳴は、放電の際に空気が急激に熱せられ、膨張することによって発生する。

竜巻

〔北米ロッキー山脈以東の陸上で
発生したものは、トルネードと呼ばれる〕

寒気団と暖気団がぶつかり合うと、空中にスーパーセルという、回転する上昇気流を伴った巨大積乱雲が発生することがある。竜巻とは、スーパーセルのような積乱雲の強い上昇気流によって発生する激しい渦巻きで、漏斗《じょうご》状または柱状の雲を伴う。

竜巻は風速と被害状況にもとづく「改良藤田スケール（EF-Scale）」という指標によって、EF0からEF5の等級に分類される。

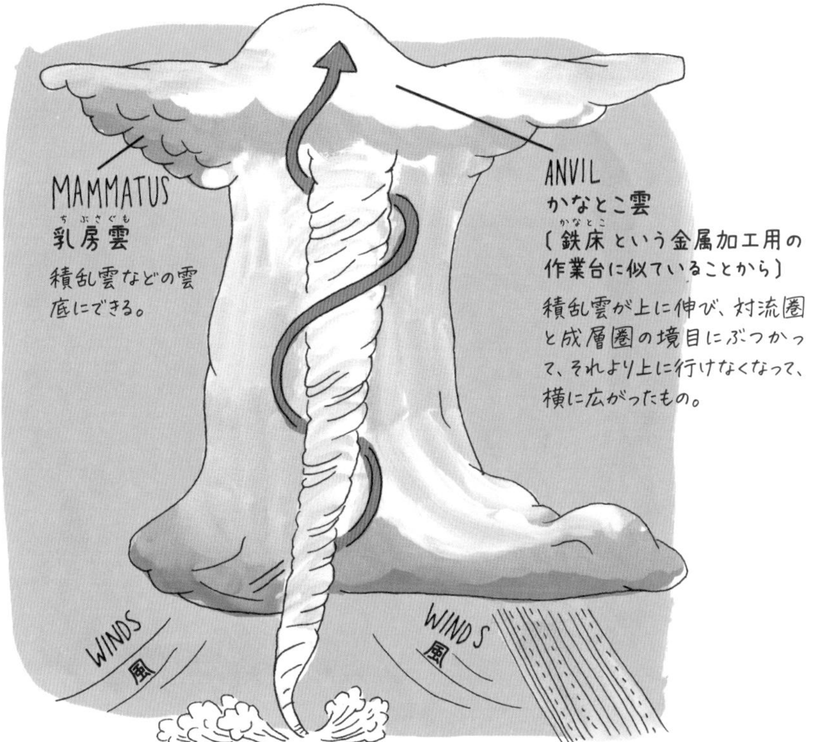

アメリカ中西部の竜巻《トルネード》街道は、
竜巻が世界でもっともひんぱんに発生する地域。

雪の結晶《けっしょう》

SNOWFLAKES

なぜそれぞれ形がちがうの？

雪の結晶の形は、温度と湿度によって決まる。雲のなかの上昇気流によって約マイナス40℃の環境に達すると、水蒸気が凝《ぎょう》結《けつ》して氷の粒子（氷晶）が形成される。この小さな氷の結晶は成長を続け、重くなると雪片《せっぺん》として落下する。

結晶が成長するとき、分子はつねに規則正しく組み合わさるわけではない。雪片はさまざまな微気候〔地面近くの気層の気候で、気象の差が細かい〕を通過しながら落ちていくため、それぞれ異なる形の結晶ができあがる。

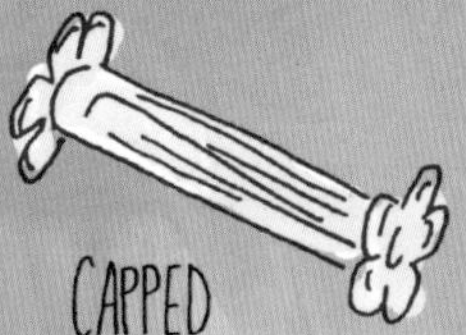

CAPPED COLUMN 角板《かくばん》つづみ

BULLET ROSETTES 砲弾《ほうだん》集合

NEEDLE CLUSTERS 針集合

HOLLOWED COLUMNS 中空角柱《ちゅうくうかくちゅう》

いろいろな形の雪の結晶

SOME SNOWFLAKE SHAPES

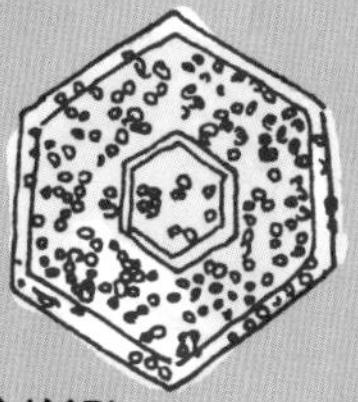

RIMED CRYSTAL 雲粒付《うんりゅうつき》

TRIANGULAR FORMS 三角

ARROWHEAD 御幣《ごへい》

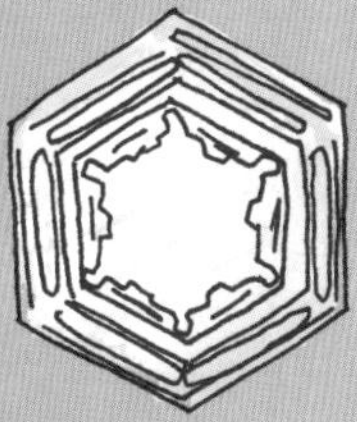

SIMPLE PRISM 単純な六角板《ばん》

STELLAR PLATE 星形角板《かくばん》

STELLAR DENDRITE 星形樹枝《じゅし》

12-SIDED SNOWFLAKE 十二花《か》

FERNLIKE STELLAR DENDRITE シダ状星形樹枝

RAINBOWS

虹《にじ》

綾なす虹のアーチは、もっとも魅力的な自然現象のひとつ。太陽の光が空気中の無数の水滴のなかで屈折《くっせつ》・反射することによって虹ができる。太陽の光は白っぽい色や黄色っぽい色に見えるかもしれないが、実際にはいろいろな色が組み合わさっている。

虹は太陽を背にしたときに見えるが、観測者の位置によって現れる場所が変化する。

白黒写真の虹には縞《しま》模様がなく、均等な幅の光のグラデーションが写っている。
つまり、虹が縞模様に見えるのは、人間の色覚の働きによるもの。

SUNSETS

日没《にちぼつ》

太陽光は、さまざまな波長〔光の波の1回分の長さ〕や色によってできている。太陽光は大気中のいろいろな粒子（水や空気の分子、ほこり、花粉、汚染物質など）に当たって散乱するが、波長のなかにはほかの波長よりも散乱・屈折しやすいものがある。

朝や夕方は地球を照らす太陽の角度が低くなるため、太陽光が大気中を通過する距離が長くなり、より多くの大気中の粒子に当たって散乱する。波長が短くて散乱しやすい青や緑の光はほとんど消え、波長の長いオレンジや赤の光が残る。

夕方は朝よりも空気が暖かく
大気中により多くの粒子が存在するため、
夕焼けは朝焼けよりも色あざやかに
ドラマチックになることが多い。

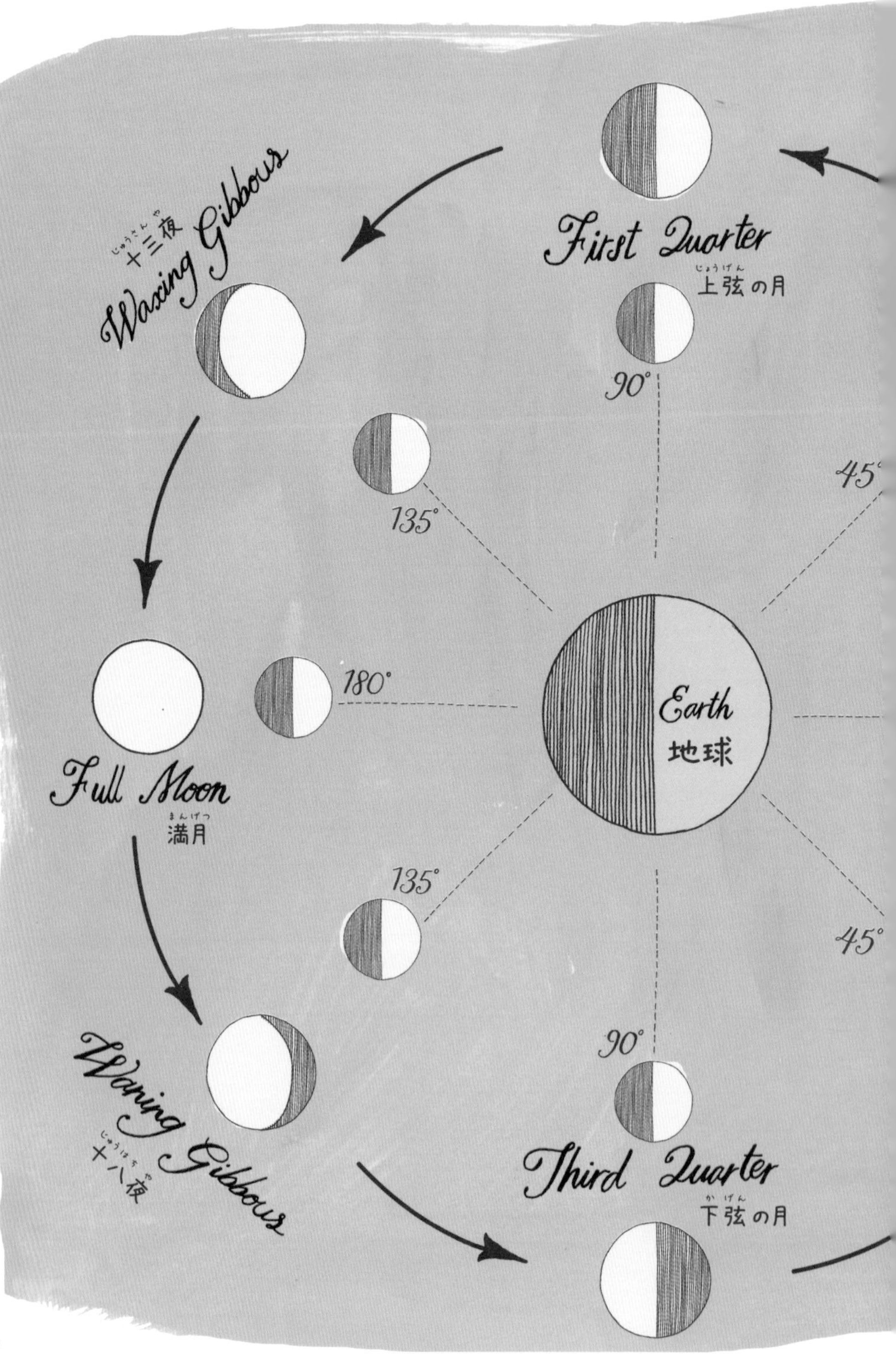
First Quarter
上弦《じょうげん》の月
Waxing Gibbous
十三夜《じゅうさんや》
90°
45°
135°
180°
Earth
地球
Full Moon
満月《まんげつ》
135°
45°
90°
Waning Gibbous
十八夜《じゅうはちや》
Third Quarter
下弦《かげん》の月

Phases of the Moon

月の満《み》ち欠《か》け

CONSTELLATIONS

星座

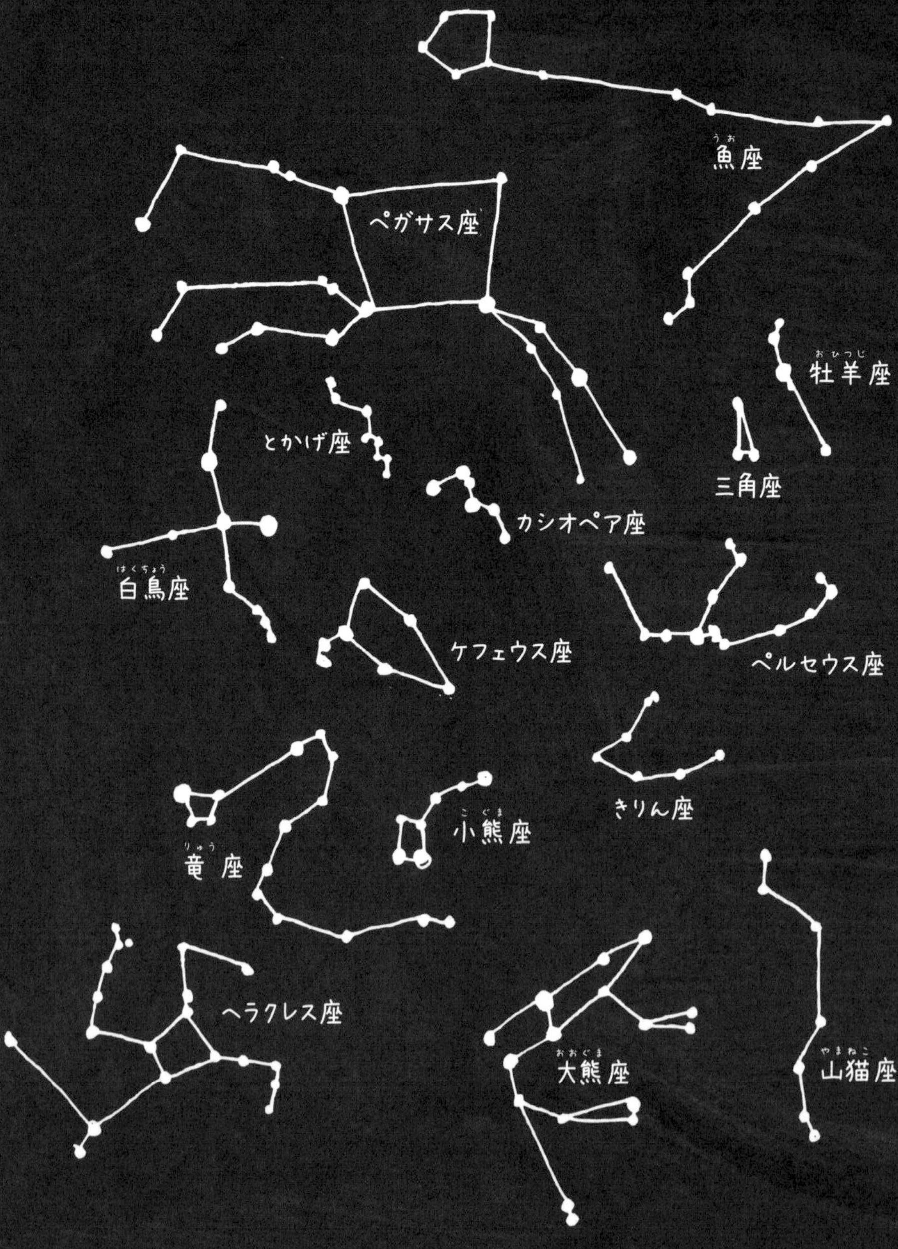

何千年も前から、人間たちは夜空の星々をつないで絵を描き、それを神話の登場人物や動物たちに見立ててきた。
星座や星群《せいぐん》〔アステリズム。一部を除き、国際天文学連合から認められていない星の集まり〕とは、夜空に輝く明るい星たちが描く模様のこと。ひとつの星座を構成する星たちはすぐ近くに集まっているように見えるが、実際には何光年も離れている場合が多い。

星座のかたどる像や意味は文化や時代によって異なるが、国際天文学連合では北半球と南半球の空で見られる88の星座を認定している。現在使われている星座名の多くはローマ帝国時代のラテン語名だが、星座の意味や星座をかたどる像のなかには、もっと古い時代から存在するものもある。

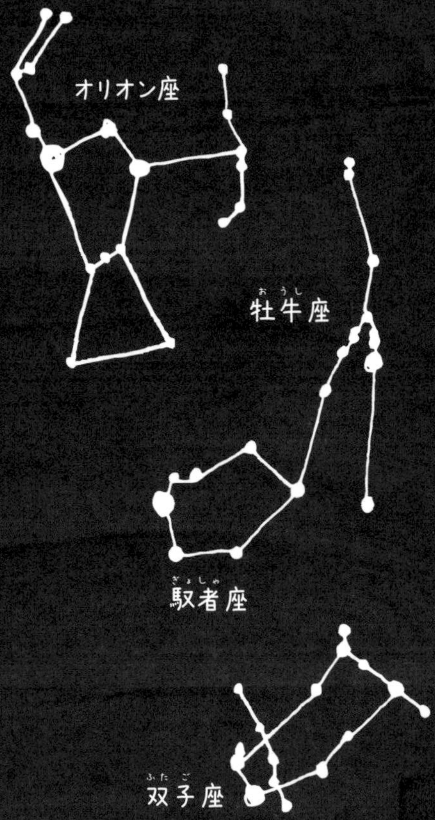

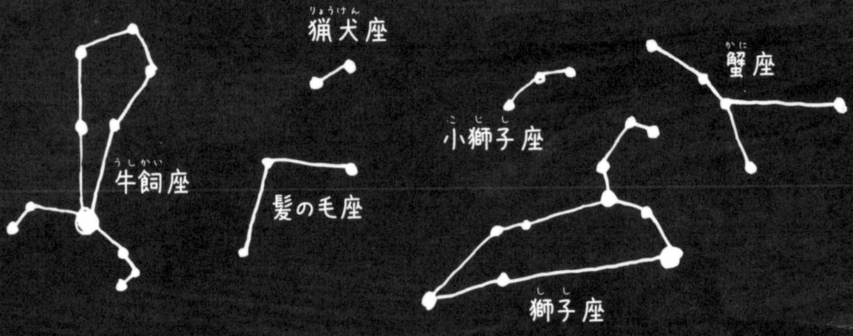

CHAPTER 3

Come Close

近づいてみよう

ANATOMY OF A FLOWER

花の解剖図

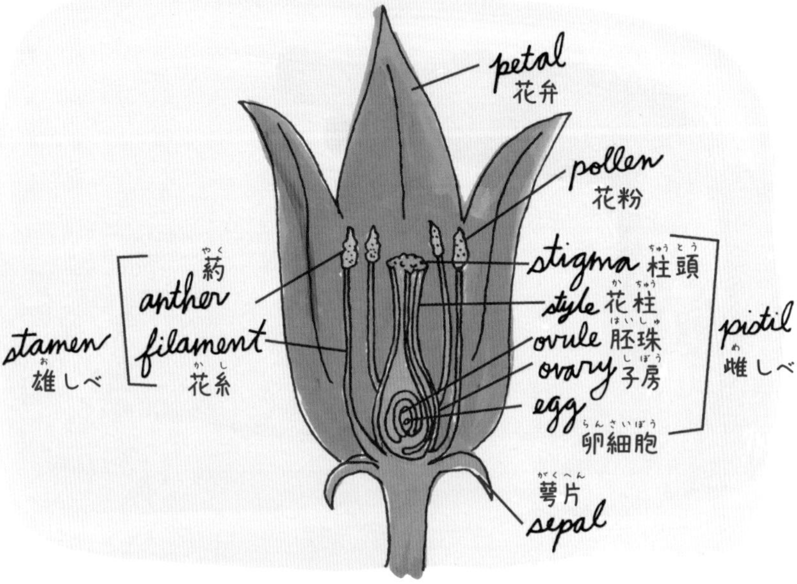

anther - 葯　雄しべの一部で花粉を作る袋状の器官

filament - 花糸　葯を支える糸状の柄《え》

sepal - 萼片　花のもっとも下（外）側にある、葉の変形した器官

stamen - 雄しべ　花の雄性〔オス〕の生殖器官

pistil - 雌しべ　花の雌性《しせい》〔メス〕の生殖器官

ovary - 子房　雌しべの基部のふくらんだ部分

ovule - 胚珠　子房のなかにあり、受粉後に種子となる部分

stigma - 柱頭　雌しべの先端部分で、花粉が付着するところ

style - 花柱　柱頭と子房のあいだの部分

WILD-FLOWERS
野生の花々

QUEEN ANNE'S LACE
ノラニンジン
(DAUCUS CAROTA)
ハルジオン
PHILADELPHIA FLEABANE
(ERIGERON PHILADELPHICUS)
SPOTTED WINTERGREEN
(CHIMAPHILA MACULATA)
ウメガサソウ
スペクタクルポッド
SPECTACLE POD
(DIMORPHOCARPA WISLIZENI)
ケチョウセンアサガオ
SOUTHWESTERN THORNAPPLE
(DATURA WRIGHTII)
サンギナリア
BLOODROOT
(SANGUINARIA CANADENSIS)
フロックスロンギフォリア
〔クサキョウチクトウ属〕
LONG-LEAVED PHLOX
(PHLOX LONGIFOLIA)

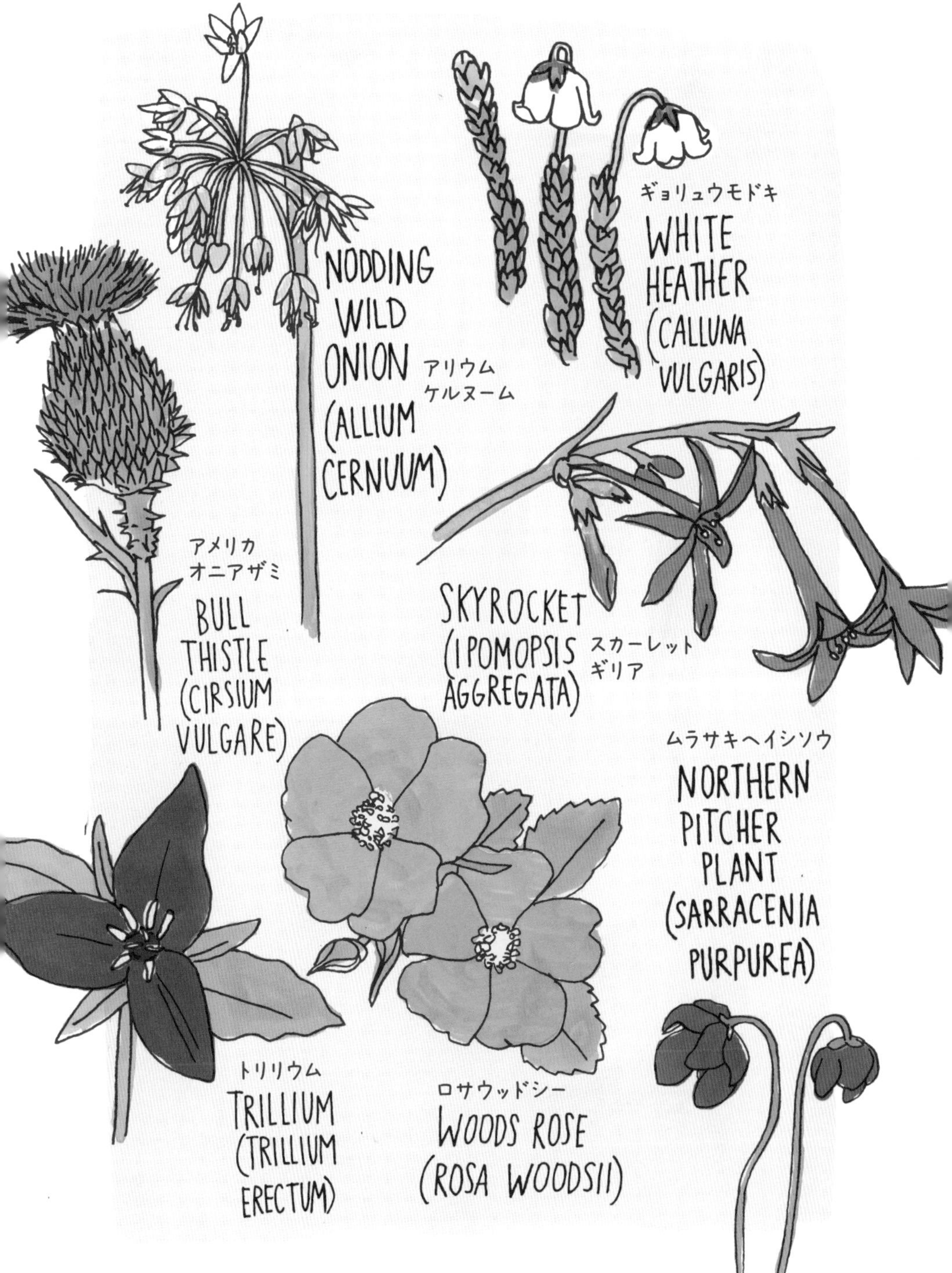
NODDING
WILD
ONION
アリウム
ケルヌーム
(ALLIUM
CERNUUM)
ギョリュウモドキ
WHITE
HEATHER
(CALLUNA
VULGARIS)
アメリカ
オニアザミ
BULL
THISTLE
(CIRSIUM
VULGARE)
SKYROCKET
(IPOMOPSIS
AGGREGATA)
スカーレット
ギリア
ムラサキヘイシソウ
NORTHERN
PITCHER
PLANT
(SARRACENIA
PURPUREA)
トリリウム
TRILLIUM
(TRILLIUM
ERECTUM)
ロサウッドシー
WOODS ROSE
(ROSA WOODSII)

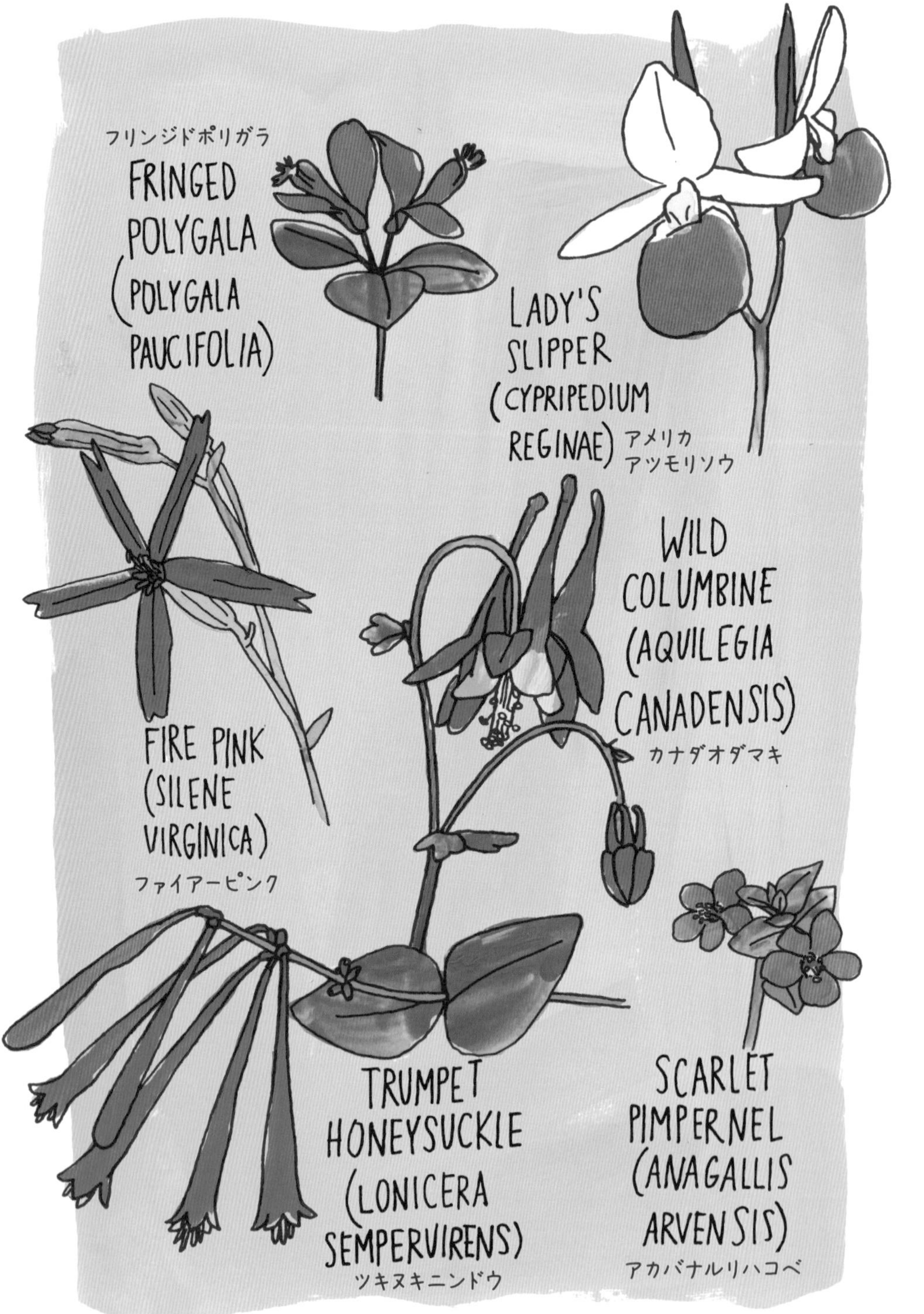
フリンジドポリガラ
FRINGED POLYGALA (POLYGALA PAUCIFOLIA)
LADY'S SLIPPER (CYPRIPEDIUM REGINAE)
アメリカアツモリソウ
WILD COLUMBINE (AQUILEGIA CANADENSIS)
カナダオダマキ
FIRE PINK (SILENE VIRGINICA)
ファイアーピンク
TRUMPET HONEYSUCKLE (LONICERA SEMPERVIRENS)
ツキヌキニンドウ
SCARLET PIMPERNEL (ANAGALLIS ARVENSIS)
アカバナルリハコベ

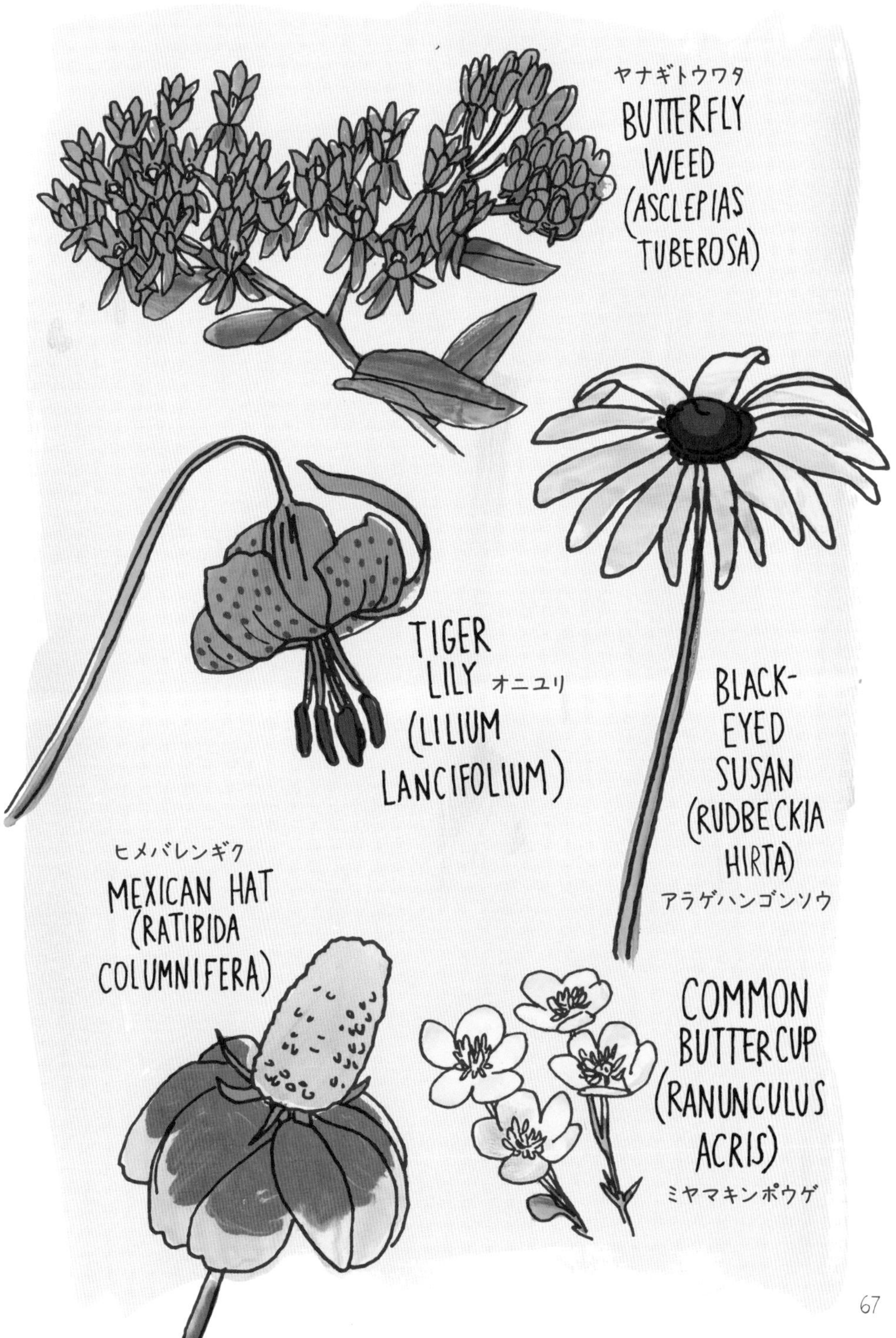

ヤナギトウワタ
BUTTERFLY WEED (ASCLEPIAS TUBEROSA)
TIGER LILY オニユリ (LILIUM LANCIFOLIUM)
BLACK-EYED SUSAN (RUDBECKIA HIRTA)
アラゲハンゴンソウ
ヒメバレンギク
MEXICAN HAT (RATIBIDA COLUMNIFERA)
COMMON BUTTERCUP (RANUNCULUS ACRIS)
ミヤマキンポウゲ

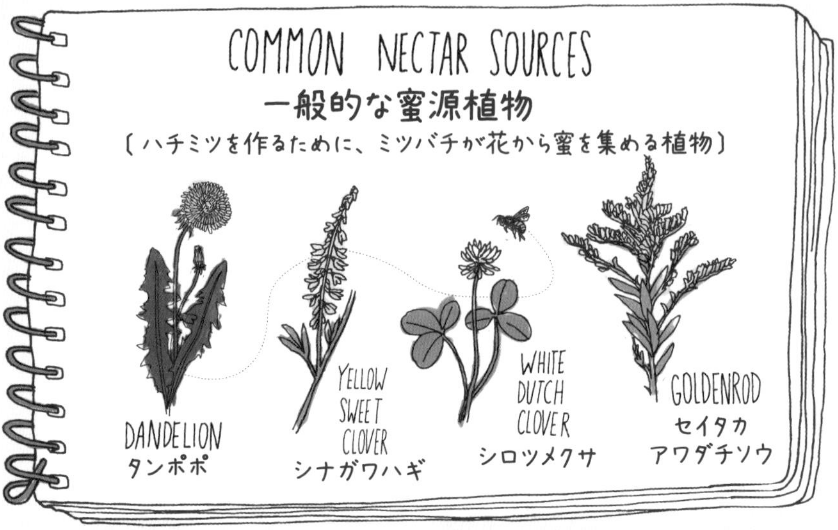

北米には在来種のミツバチが約4000種類存在するが、おなじみのミツバチは入植者らとともにヨーロッパからやってきた。

ANATOMY OF A BEE

ハナバチ類の体の構造

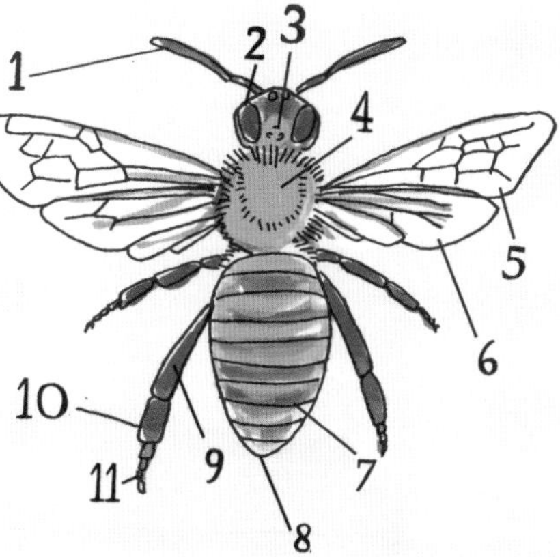

1.antenna - 触角　匂いを感じとる数千もの嗅覚受容体を備えている。
2.compound eye - 複眼　物の形や動きを認識する。
3.ocellus - 単眼　3つの単眼によって明暗を区別する。
4.thorax - 胸部　頭部と腹部のあいだで、翅《はね》の生えている部分。
5.forewing　前翅《ぜんし》
6.hindwing　後翅《こうし》
（5・6）飛んでいるときは前翅と後翅が一体となって動くが、休んでいるときはバラバラに動く。
7.abdomen - 腹部　さまざまな器官、蝋腺《ろうせん》、毒針などがある。
8.stinger - 毒針　働きバチと女王バチだけがもっている。
9.femur　腿節《たいせつ》
10.tibia　脛節《けいせつ》
11.tarsal claw　跗節爪《ふせつづめ》
（9〜11）3対の歩脚〔合計6本〕はそれぞれ6つのパーツで構成されており、歩いたり花粉を集めたりするのに使う。

北米で見られるチョウの科目

BUTTERFLY FAMILIES OF NORTH AMERICA

典型的なチョウ

swallowtails (FAMILY PAPILIONIDAE)

アゲハチョウ科

中型〜大型で、後翅からななめ後ろに伸びる尾状突起がある。色あざやか。

brush-footed (FAMILY NYMPHALIDAE)

タテハチョウ科

最大の科。6本の脚のうち、退化して短くなった2本の前脚は味を感じることができる。

whites + sulphurs (FAMILY PIERIDAE)

シロチョウ科

白や黄色の翅に黒やオレンジ色の模様が見られる。

gossamer-winged (FAMILY LYCAENIDAE)

シジミチョウ科

小型で翅が薄い。

カラスシジミ〔茶色〕、ツバメシジミ〔青色〕、ベニシジミ〔銅色〕

metalmarks (FAMILY RIODINIDAE)

シジミタテハ科〔日本には生息していない〕

小型〜中型で、大半は熱帯地域で生息している。色や模様はさまざま。

skippers (FAMILY HESPERIIDAE)

セセリチョウ科〔チョウとガの中間〕

胴部が太く短く、翅が小さく、触角の先端が鉤《かぎ》状に曲がっている。翅の色は褐色や灰色で、白やオレンジ色の模様がある。

ANATOMY OF A BUTTERFLY

チョウの体の構造

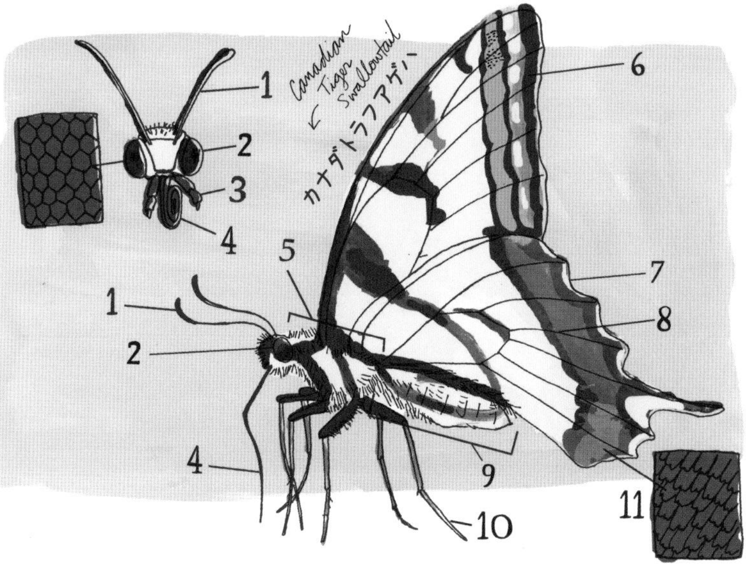

1. antenna - 触角 レーダーのような役目を果たし、フェロモンを察知する。
2. compound eye - 複眼 最多で1700個もの個眼(光受容細胞およびレンズ)を含む。
3. palpus - 下《か》唇《しん》鬚《しゅ》 複眼をワイパーのように掃除する。感覚孔があり、匂いを感じとることができる。
4. proboscis - 口《こう》吻《ふん》 巻いている口吻をストローのように伸ばして、蜜を吸う。
5. thorax - 胸部 3つの部分に分かれており、飛翔筋を含んでいる。
6. forewing 前《ぜん》翅《し》
7. hindwing 後《こう》翅《し》

後翅の上に前翅が少し重なっている。
翅を上下に動かして飛んだり、風に乗って飛んだりする。

8. wing veins - 翅《し》脈《みゃく》 遺伝子によって異なり種類による特徴があるため、種類の特定に使われる。
9. abdomen - 腹部 消化器、呼吸器、心臓、生殖器を含む。
10. legs - 脚 3対の脚〔合計6本〕をもっている。ただし、タテハチョウ科は前脚が折りたたまれているため、脚が4本に見える。
11. scales - 鱗《りん》粉《ぷん》 翅はウロコのような形をした鱗粉で覆われている。

Metamorphosis
チョウの変態

チョウのライフサイクルには、1.卵→2.幼虫(イモムシや毛虫)→
3.蛹《さなぎ》→4.成虫(チョウ) という4つの段階がある。

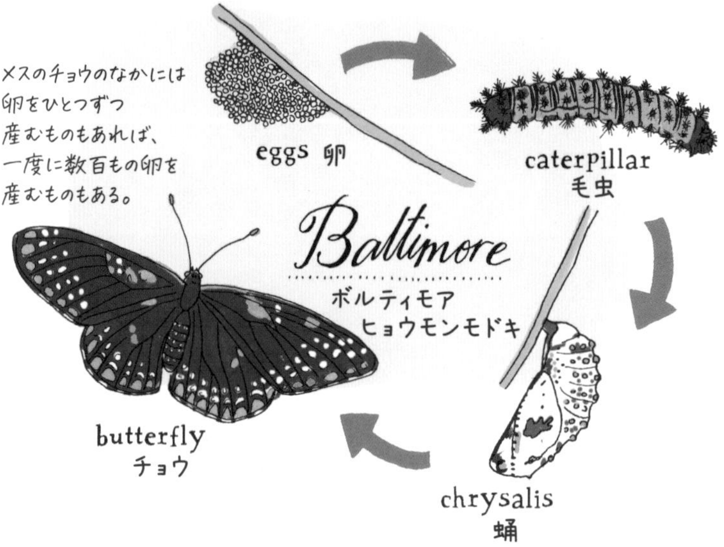

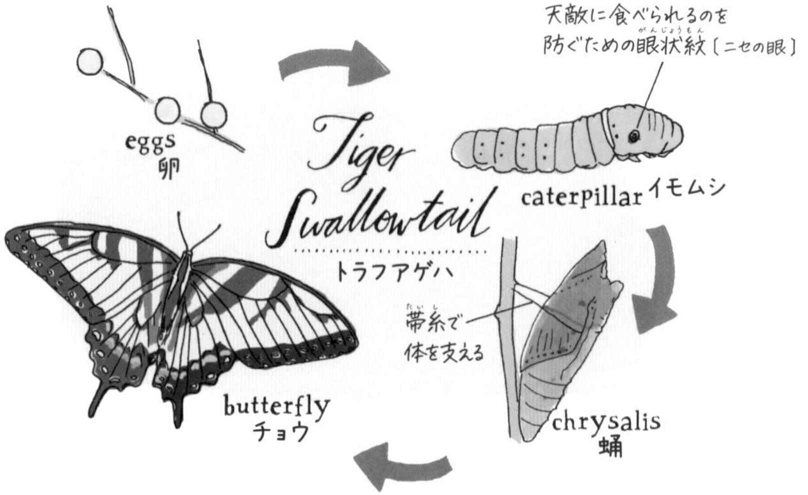

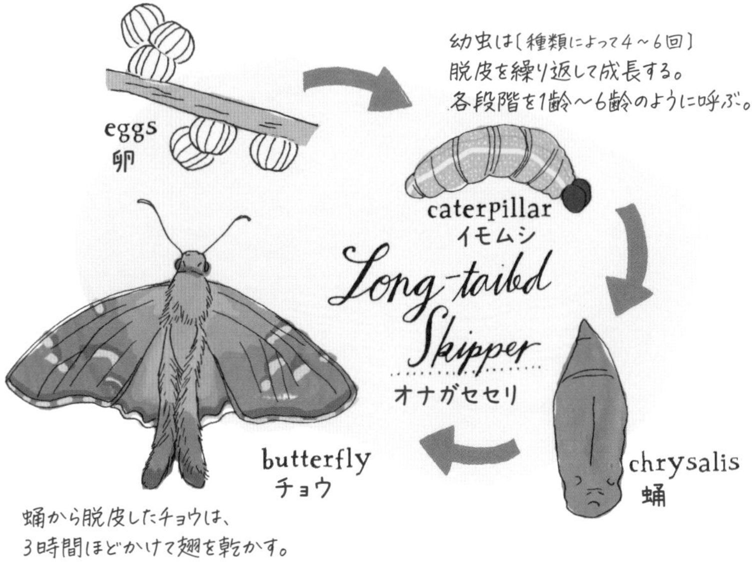
eggs
卵
幼虫は〔種類によって4〜6回〕
脱皮を繰り返して成長する。
各段階を1齢〜6齢のように呼ぶ。
caterpillar
イモムシ
Long-tailed Skipper
オナガセセリ
chrysalis
蛹
butterfly
チョウ
蛹から脱皮したチョウは、
3時間ほどかけて翅を乾かす。

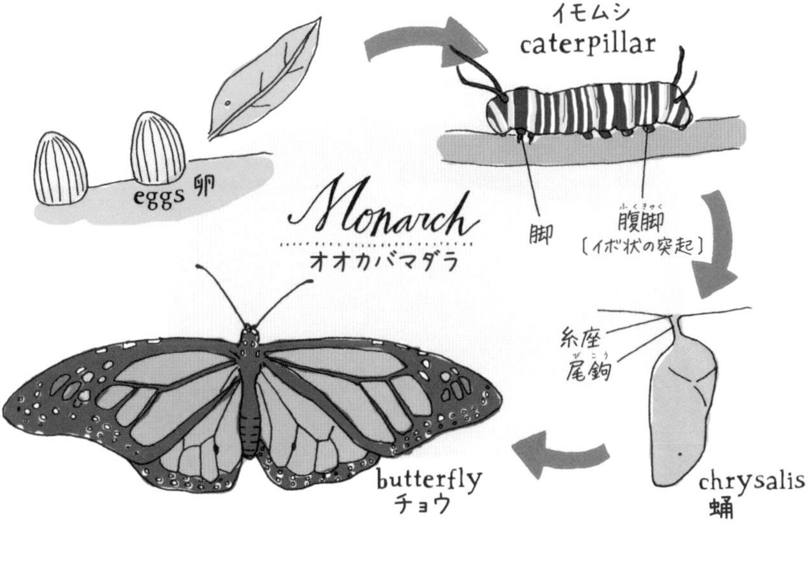
eggs 卵
イモムシ
caterpillar
脚
腹脚《ふくきゃく》
〔イボ状の突起〕
Monarch
オオカバマダラ
糸座
尾鉤《びこう》
chrysalis
蛹
butterfly
チョウ

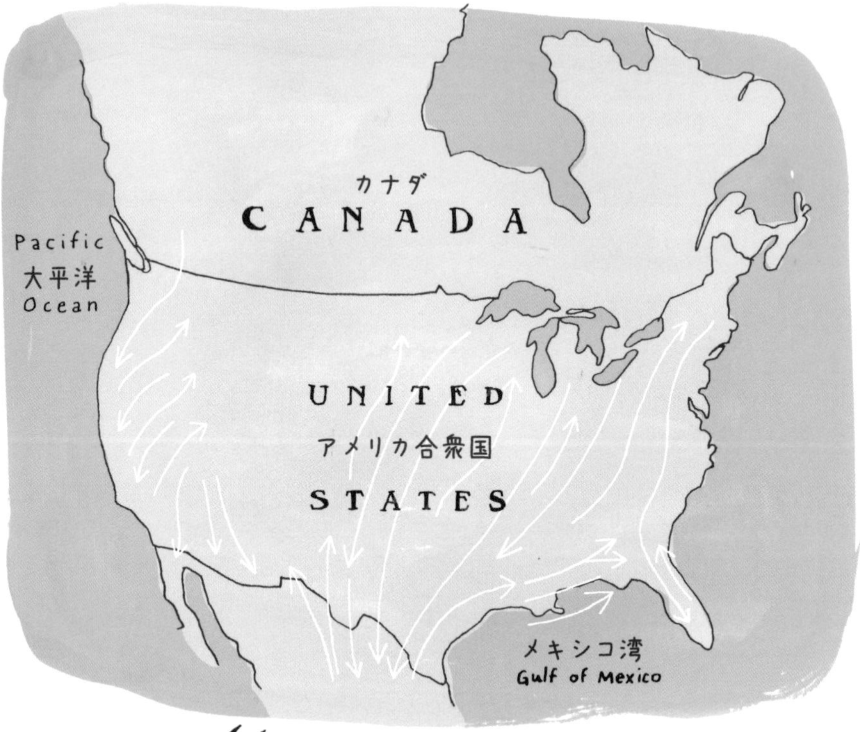

Monarch Migration

オオカバマダラの大移動

〔オオカバマダラの別名はモナーク、帝王の意味〕

オオカバマダラは渡り鳥のように大移動をする。冬には南へ、夏には北へ、数百万匹の大集団で3000km以上もの距離を渡っていく。ただしチョウの寿命は短いため、南下は1世代で行われるが、北上は3～4世代をかけて行われる。

PLANTS THAT ATTRACT BUTTERFLIES
チョウを魅了する草花たち

Anise Hyssop
アニスヒソップ

ヨーロッパアカタテハ、オオカバマダラ、
ヒメアカタテハ、アメリカタテハモドキ、
ヤンキーコヒオドシ、アオジャコウアゲハ、
モンキチョウなどの好物。

Butterfly Bush
ブッドレア

オオカバマダラ、アメリカタテハモドキ、クロアゲハチョウ、
アオジャコウアゲハ、テングチョウ、アメリカオオウラギンヒョウモン、
ミカヅキタテハ、ヨーロッパアカタテハ、ヒメアカタテハ、
チャマダラセセリ、タテハチョウなどの好物。

New Jersey Tea
ソリチャ（セアノサスアメリカヌス）

スギタニルリシジミ、
コーラルヘアストリーク〔以下すべてカラスシジミ属〕、
ストライプトヘアストリーク、エドワーズヘアストリーク、
アケイディアンヘアストリークなどの好物。

Cut-Leaf Coneflower
オオハンゴンソウ

アメリカオオウラギンヒョウモン、
ミカヅキタテハ、
カバイロイチモンジ、
オオカバマバラ、
オオルリアゲハ
などの好物。

Pink Turtlehead
リオン

ホソバセセリ、
クスノキカラスアゲハ、
オオトラフアゲハ
などの好物。

BEAUTIFUL BUTTERFLIES
美しいチョウたち

Crimson-banded Black

(BIBLIS HYPERIA)

アカヘリタテハ

分布：メキシコからパナマ
およびアメリカのテキサス州南部。
開長：約50～54mm

Tawny Emperor

(ASTEROCAMPA CLYTON)

クリトンエノキタテハ

分布：カナダのオンタリオ州南部、
アメリカのネブラスカ州、ウィスコンシン州、
マサチューセッツ州、テキサス州南部～東部、
ジョージア州南部。
開長：約41～70mm

Theona Checkerspot

(CHLOSYNE THEONA)

テオナアメリカヒョウモンモドキ

分布：アメリカのテキサス州中東部、
ニューメキシコ州南部、
アリゾナ州中央部。
開長：約32～44mm

Eastern Tailed-Blue

(EVERES COMYNTAS)

コミンタスツバメシジミ

分布：カナダ南部から中米、
ロッキー山脈東側全域。
開長：約19～25mm

California Dogface

(ZERENE EURYDICE)

カリフォルニアイヌモンキ

分布：アメリカのカリフォルニア州沿岸部、
シエラネバダ山脈西側、
アリゾナ州西部。
開長：約41～64mm

Spicebush Swallowtail

(PTEROURUS TROILUS)

クスノキアゲハ

分布：北米の東部。
開長：約89～114mm

Zebra Longwing

(HELICONIUS CHARITONIUS)

キジマドクチョウ

分布：南米から中米、アメリカのテキサス州南部、フロリダ半島。ときにニューメキシコ州、ネブラスカ州、サウスカロライナ州。
開長：約76～86mm

Malachite

(SIPROETA STELENES)

ミドリタテハ

分布：中米、メキシコからアメリカのフロリダ州南部およびテキサス州南部。
開長：約85～98mm

White Checkered Skipper

(PYRGUS ALBESCENS)

ニシチャマダラセセリ

分布：アメリカのカリフォルニア州南部、アリゾナ州南部、ニューメキシコ州南部、テキサス州西部および南部、フロリダ州、メキシコ。
開長：約25～38mm

Buckeye

(JUNONIA COENIA)

アメリカタテハモドキ

分布：カナダのマニトバ州南部、オンタリオ州、ケベック州、ノバスコシア州。アメリカの北西部を除く全土。
開長：約44～70mm

Ruddy Daggerwing

(MARPESIA PETREUS)

ホソオツルギタテハ

分布：ブラジルから中米。メキシコからアメリカのフロリダ州南部。まれにアリゾナ州、コロラド州、ネブラスカ州、カンザス州、テキサス州南部。
開長：約67～73mm

Sara Orangetip

(ANTHOCHARIS SARA)

サラツマキチョウ

分布：アメリカのアラスカ州沿岸部南部からメキシコのバハ・カリフォルニア州。北米大陸の大陸分水嶺《ぶんすいれい》（グレート・ディバイド）の西側。
開長：約25～38mm

COLORFUL MOTHS
色あざやかな蛾《が》たち

Hummingbird Clearwing

(HEMARIS THYSBE)

ハチドリガ
約38～51mm

Rosy Maple

(DRYOCAMPA RUBICUNDA)

ロージーメープルモス
約29～51mm

Colona

(HAPLOA COLONA)

コロナ
約38～57mm

IO (AUTOMERIS IO)

イオメダマヤママユ
約50～76mm

BUTTERFLY チョウ VS. ガ MOTH

BUTTERFLY チョウ

- 昼行性
- 交尾相手を視覚で探す
- 聴力がない
- 日光で温まる
- 蛹《さなぎ》を作って枝や葉にぶら下がる

ガ MOTH

- 夜行性
- 交尾相手を嗅覚で探す
- 耳がある〔超音波を聞きとる〕
- 飛ぶことで体を温める
- 繭《まゆ》を作る

White-Lined Sphinx

(HYLES LINEATA)

ハイルズリネアタ
約64～89mm

Luna

(ACTIAS LUNA)

アメリカオオミズアオ
約79～114mm

Regal

(CITHERONIA REGALIS)

リーガルモス
約120～149mm

スゲの仲間は葉のふちがギザギザ。

イグサの仲間は丸い花穂をつける。

イネの仲間は茎が空洞になっている。

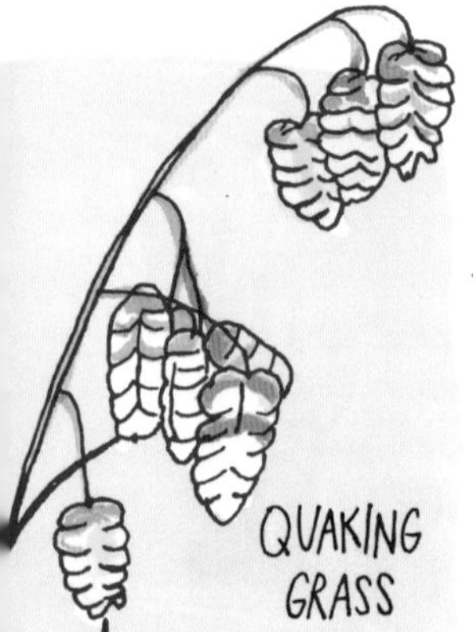

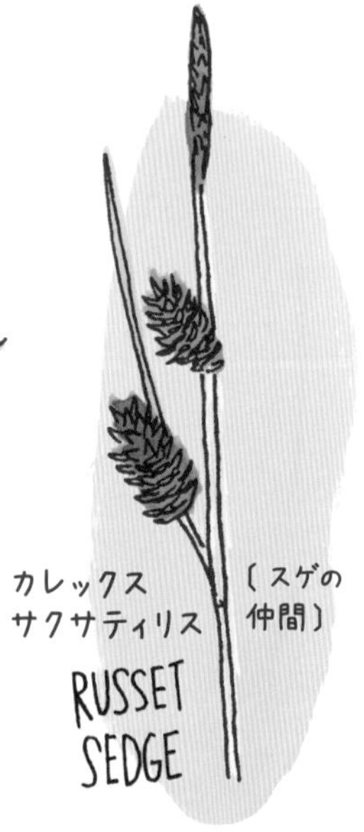

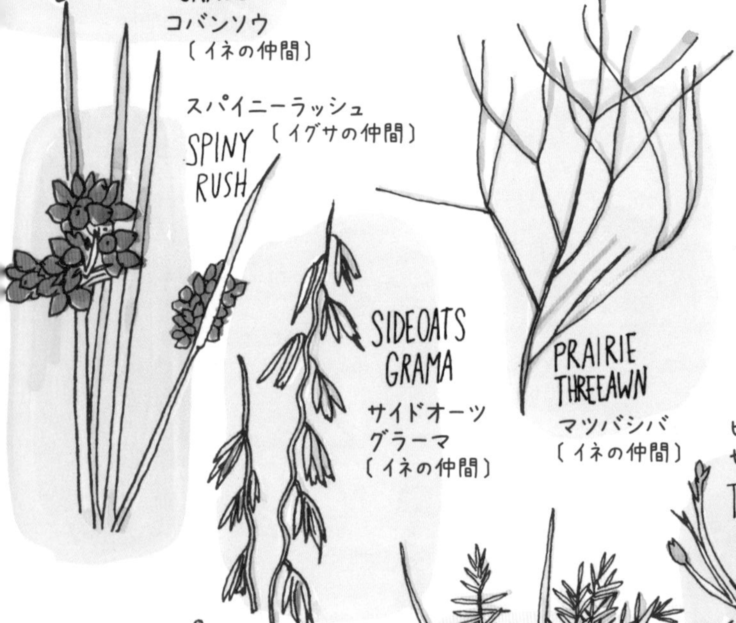

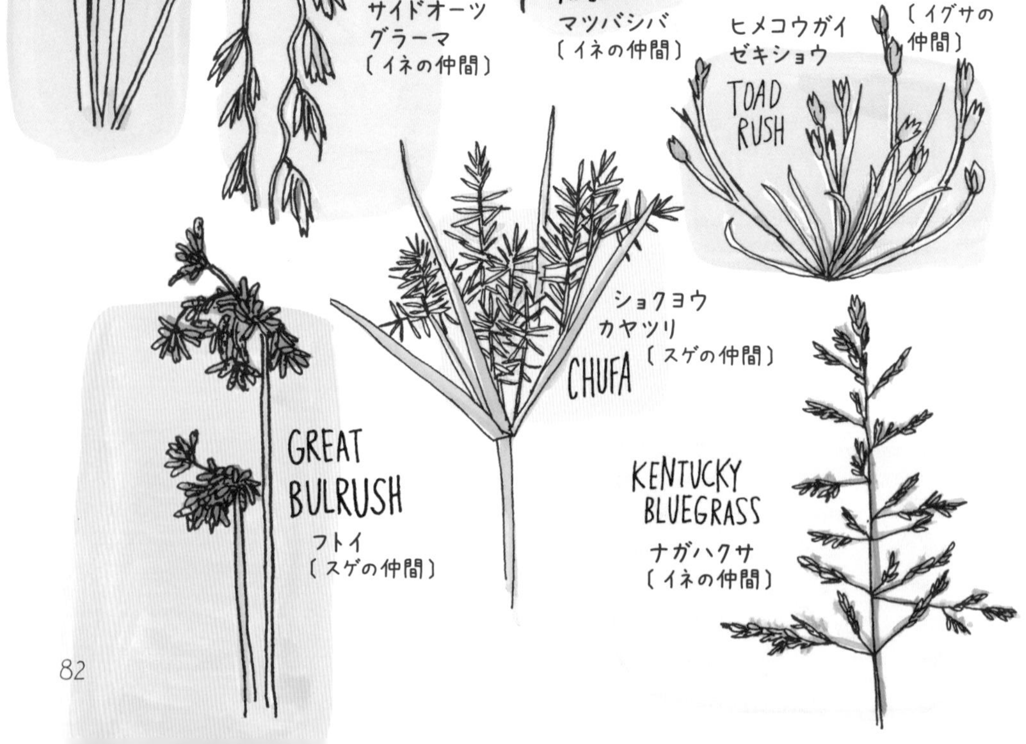

〔背景色は仲間のグループ分けとは関係がありません〕

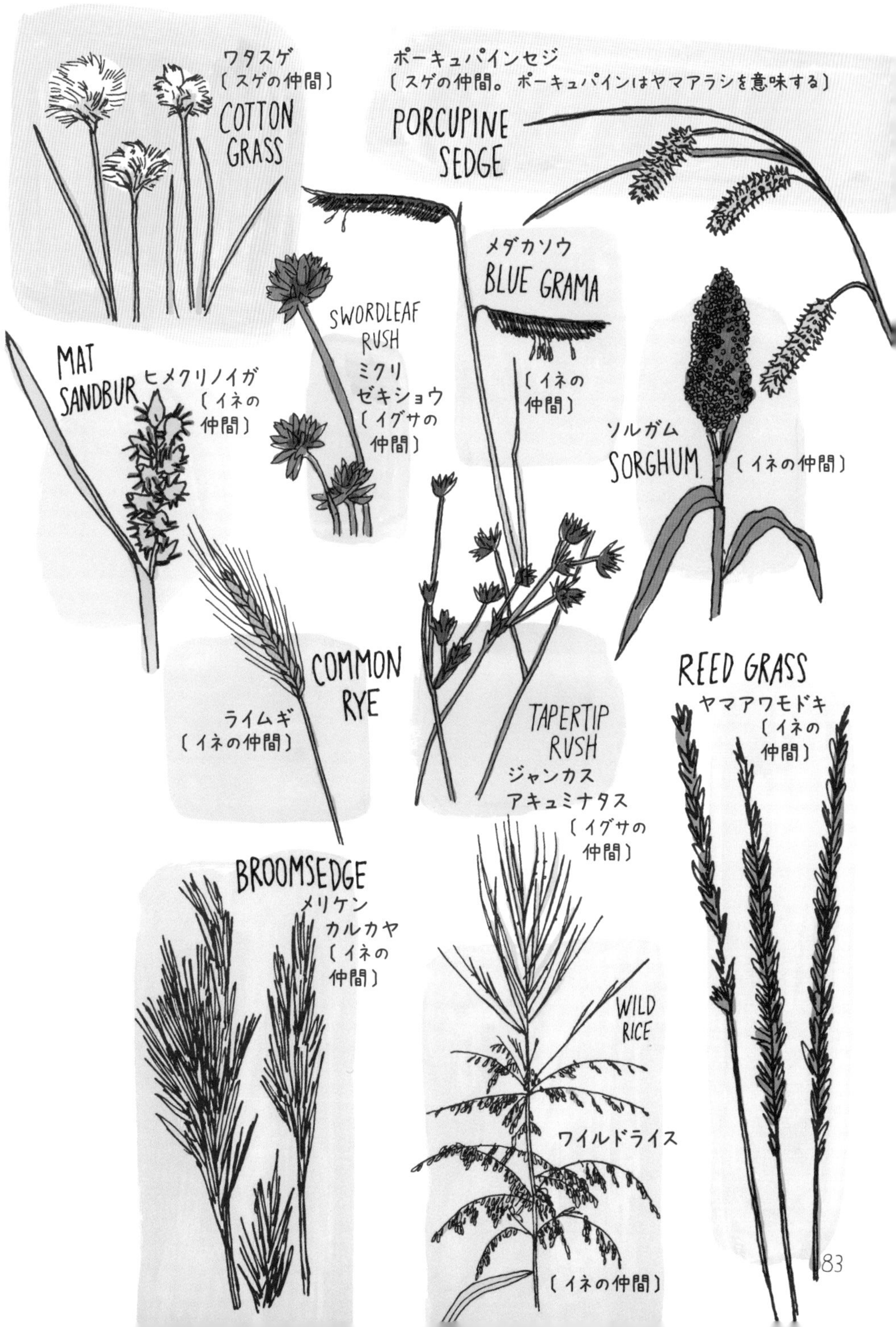

GRAZING EDIBLES
食べられる野草

Young Chicory

チコリーの若葉

早春の若葉は
生で食べてもおいしい。
根の部分を焙煎したものは、
コーヒーの代用品になる。

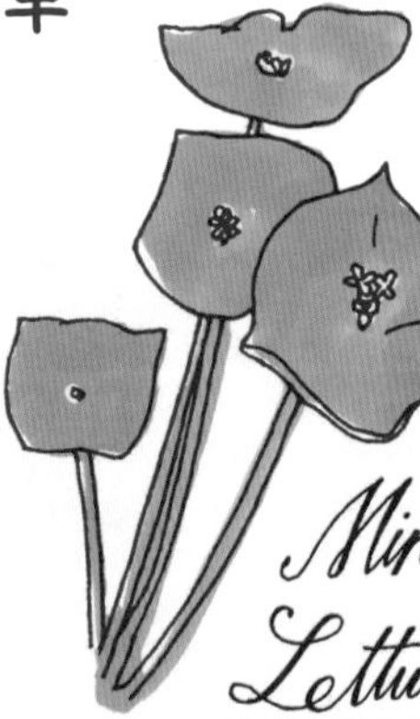

Miner's Lettuce

マイナーズレタス

栄養分や水分を
多く含む葉は、
生でサラダに入れて
食べるとおいしい。

Violet

スミレ

若葉は味がよく、
可憐な花は
砂糖漬けにしたり、
生で食べたりもできる。

Lamb's-Quarters

シロザ

栄養分が豊富。
よく見られる雑草だが、
ホウレンソウのように使える。

Young Dandelion

タンポポの若葉

輪の中心の小さな葉を生で食べるか、
軽く蒸して食べる。

Red Clover

ムラサキツメクサ

タンパク質が豊富。葉を
加熱調理するとおいしく、
花でハーブティーを作れる。

Mullein

ビロードモウズイカ

花や葉で作ったハーブティーは、
咳や肺疾患に効果がある。

Plantain

オオバコ

若葉を湯がいて食べる。
食物繊維が豊富な種子を粉末にして
食事に加えたり、パンに加えたりする。

Yarrow

セイヨウノコギリソウ

花で香りのよいハーブティーを
作れる。葉はホップの代用として
ビールの醸造に使える。

Wood Sorrel

カタバミ

花や果実や葉は
甘酸っぱくて、
そのまま食べるとおいしい。

FIVE RULES FOR GRAZING WILD EDIBLES

野草摘みの5つのルール

1. おいしくて栄養豊富な野草を見つけるには、
春のなかごろが最適。

2. 毎年摘みに来られるように、どんな野草も
全部採ってしまわずに、少しだけ摘む。

3. 工業使用や商業使用によって
汚染されていない地域を選ぶ。

4. 野草を摘む際には現地の法令を確認し、
土地所有者の許諾を得る。

そして、いちばん重要なのは

5. 有毒植物のなかには食用植物によく似ている
ものがあるため、100％の確信がない場合は
絶対に食べないこと。

Jenny Kendler's Gorgonzola-Stuffed Daylily Buds

アーティスト＆環境活動家　ジェニー・ケンドラー特製

デイリリー〔ヘメロカリス、ユリ科〕のつぼみのゴルゴンゾーラ詰め

・デイリリーのつぼみ
（約6.4～8.9cmのまだ開いていない大きなつぼみを選ぶ）

・オリーブオイル

・ゴルゴンゾーラあるいは好みのブルーチーズ
（できれば地元特産のチーズを選ぼう）

・挽きたてのコショウ

オーブンあるいはトースターを約200℃に予熱しておく。
オリーブオイルを薄く塗ったオーブンシートに、デイリリーのつぼみを並べる。
つぼみをそっと開いてチーズを詰め、なるべく元どおりの形に戻す。
詰めものをしたつぼみに、さらにオリーブオイルをハケで少し塗り、挽きたてのコショウをたっぷりかける。
チーズがこんがりと色づき、小さな泡が出てくるまで焼く。
摘みたて野草のすてきなごちそうのできあがり。
友人たちと熱々のうちに召し上がれ。

INCREDIBLE INSECTS AND BUGS ABOUNDING

驚くべき昆虫や多種多様の虫たち

〔昆虫の特徴：昆虫は体が頭部・胸部・腹部の3つに分かれており、脚が6本生えていて、胸部には翅が4枚ついている（例外もある）〕

甲虫類《こうちゅうるい》 BEETLES

TWO-SPOTTED LADYBUG BEETLE
フタモンテントウ

COLORADO POTATO BEETLE
コロラドハムシ

ROUGH FUNGUS BEETLE
ラフファンガスビートル
〔オオキノコムシ科〕

HARLEQUIN CABBAGE BUG
ハーレクインキャベツバグ
〔カメムシ科〕

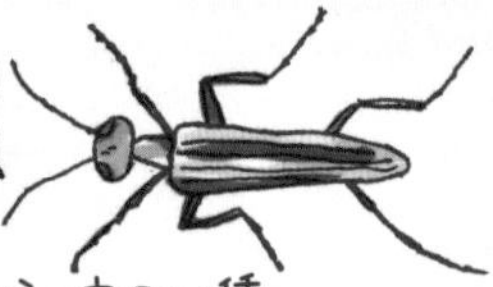

STRIPED BLISTER BEETLE
マメハンミョウの一種
〔ツチハンミョウ科〕

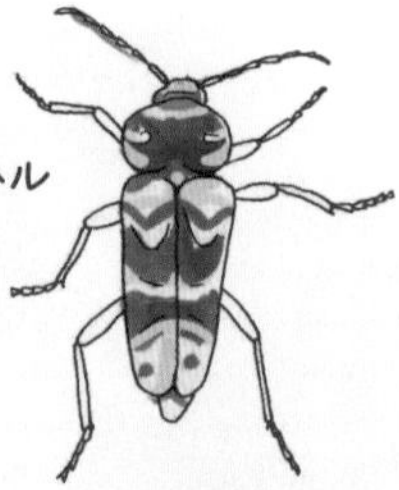

SUGAR MAPLE BORER
シュガーメープルボーラー
〔カミキリムシ科〕

甲虫類は世界でもっとも
多種多様な生物群。
地球上の生物の4つに
ひとつは甲虫類なのだ。

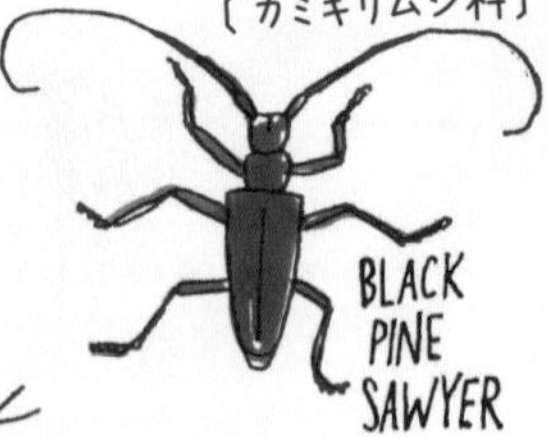

BLACK PINE SAWYER
ブラックパインソーヤー
〔カミキリムシ科〕

バラゾウムシ
〔俗称・和訳〕
ROSE CURCULIO

FIRE BEETLE アカハネムシ

ELEPHANT STAG BEETLE エラフスミヤマクワガタ

TACHINA FLY

ヤドリバエ

幼虫は寄生虫《きせいちゅう》で、
ほかの昆虫の体内で成長し、
最終的に宿主《しゅくしゅ》を殺してしまう。

ALUTACEA BIRD GRASSHOPPER

アルタケアバードグラスホッパー
〔バッタ科〕

身長の20倍の高さまで
飛び跳ねることができる。
身長約180cmの人間が、
約36mの高さまでジャンプ
するのと同じくらい。

SCARLET-AND-GREEN LEAFHOPPER

キャンディストライプヨコバイ

体に極細《ごくぼそ》の毛が生えている。
体じゅうを覆う分泌液は水をはじき、
フェロモンを含んでいる。

PRAYING MANTIS

TRUE KATYDID

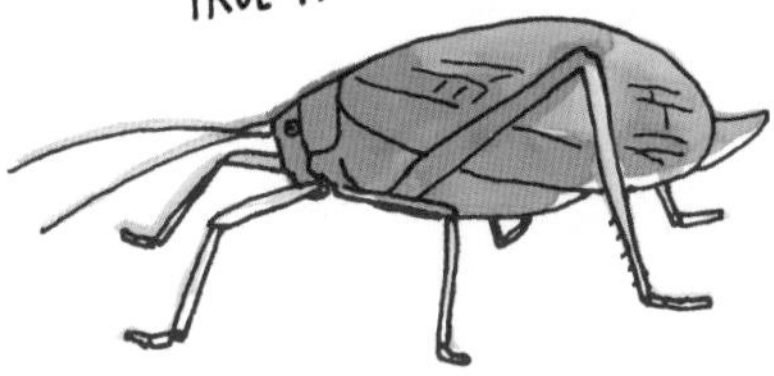

カマキリ

交尾《こうび》のとき、メスは
相手のオスの頭を
食いちぎることがある。

キリギリス

鳴き声が「ケイティ・ディド、ケイティ・ディドント
(Katy did, Katy didn't)」と言っているように
聞こえることから、英語では「ケイティディド」と呼ばれる。
秋になると植物の茎と葉のあいだや土のなかに
卵を産みつけるが、孵化《ふか》するのは
春になってから。

ジュウシチネンゼミ

17-YEAR CICADA

セミのなかには、幼虫のうちはずっと地下で植物の根から養分をとりながら成虫になり、13年または17年周期で大量発生する種類がいる。交尾期にオスの大群が立てる騒音はすさまじく、120デシベルを超えるほど（地域によっては騒音規制法に違反するレベル）で、天敵の鳥たちを撃退すると考えられている〔ジュウシチネンゼミもジュウサンネンゼミも、北米にしか生息していない〕。

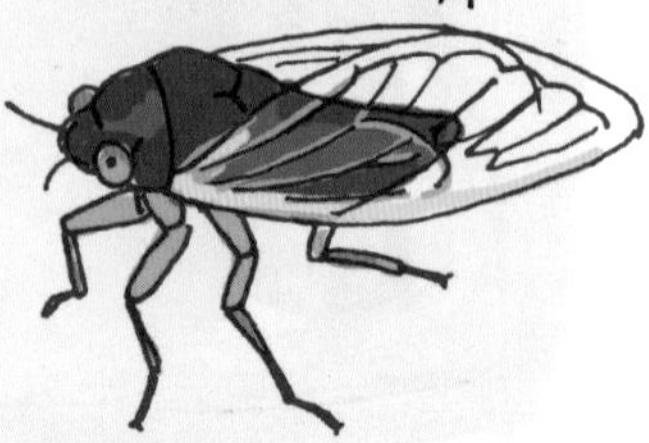

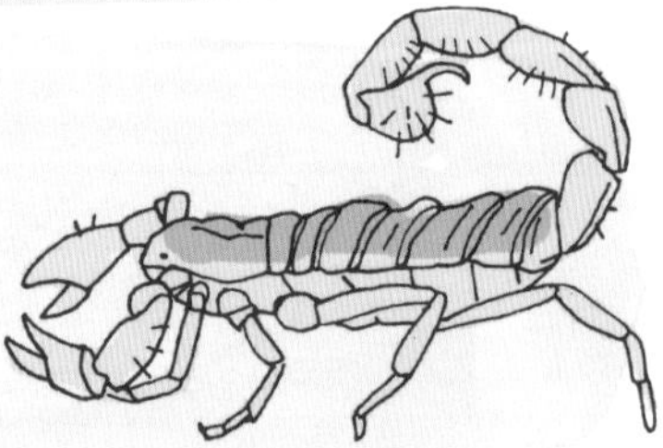

GIANT DESERT SCORPION

デザートヘアリースコーピオン

北米最大のサソリ。体長約14cmまで成長し、トカゲやヘビを食べる。

PHANTOM CRANE FLY

ファントムクレインフライ
〔コシボソガガンボ科の一種〕

光のなかから飛び立つと、姿がさっと消えて白い斑点《はんてん》だけが浮かんでいるように見える。

THORN-MIMIC TREEHOPPER

トゲツノゼミ

植物の茎にとまり、トゲになりすます。

SNOW FLEA

スノーフリー

トビムシの一種で下腹にバネのような跳躍器《ちょうやくき》をもっており、後ろに高速回転しながら10cmほどの高さまでジャンプできる。

DRAGONFLIES

トンボ

WIDOW SKIMMER
ウィドウスキマー

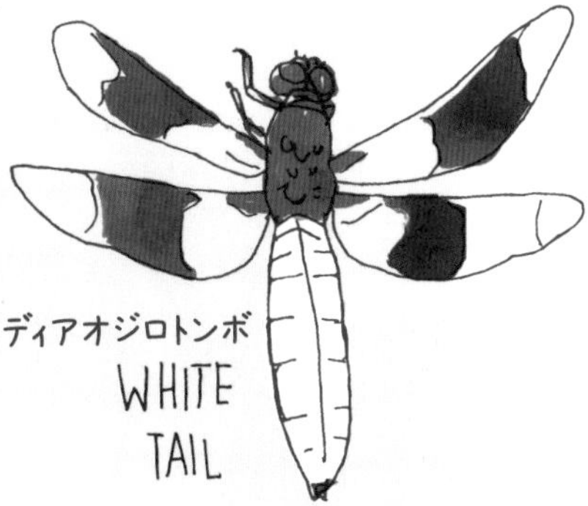

リディアオジロトンボ
WHITE TAIL

LOW FLYING AMBER WING
イースタンアンバーウィング

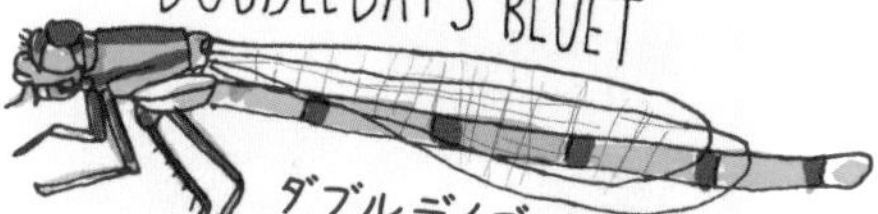

DOUBLEDAY'S BLUET
ダブルデイズブルーエト〔ルリイトトンボ属〕

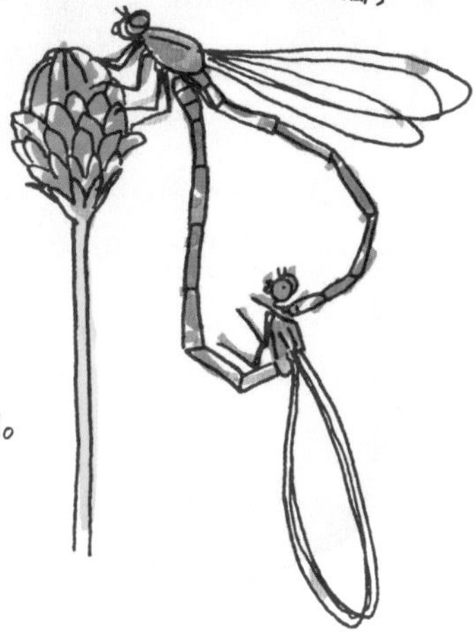

トンボやイトトンボは、交尾後も連結したまま飛んでいることが多い。オスとメスの体がつながって、ハート形のような輪を描く〔下側がメス〕。

SPECTACULAR SPIDERS

驚異的なクモたち

クモの歴史は人類の歴史の500倍以上も長い。クモやサソリ、マダニ、ダニは、クモ綱に属する。昆虫とちがって、クモの体は〔頭胸部と腹部の〕二つに分かれ、触角がない。

GOLDENROD SPIDER

ヒメハナグモ

花のあいだに姿を隠すため、体の色が白から黄色に変わる。

MARBLED ORB WEAVER

キバナオニグモ

コガネグモのなかでもとくにきれいなクモ。

BLACK WIDOW

クロゴケグモ

交尾が終わると、メスがオスを食べてしまうことから「ゴケ（後家）」という名前がついた〔後家は夫を亡くした女性という意味〕。

BANDED GARDEN SPIDER

スジコガネグモ

野原や大草原に生息する。

ARROW-SHAPED MICRATHENA

ツノトゲグモ（の仲間）

矢尻のような形をしたクモで、鳥やトカゲなどの天敵や昆虫から身を守るため、腹部にトゲ状の突起をもつ。

WOLF SPIDER

コモリグモ

メスは卵を腹にかかえ、卵が孵化すると幼虫を背中におぶって守る。

SPIRAL ORB WEB

円網《えんもう》

おもにコガネグモ科の
クモたちが作る巣。

COBWEBS

不規則網

ヒメグモ科のクモたちが作る
不規則で立体的な巣。

FUNNEL-SHAPED WEB

漏斗網《ろうとあみ》

約700種類の
ジョウゴグモ(タナグモ科)の
ほとんどには毒がある。
〔漏斗は「じょうご」とも読み、
漏斗状の巣を作ることから
ジョウゴグモと呼ばれる〕

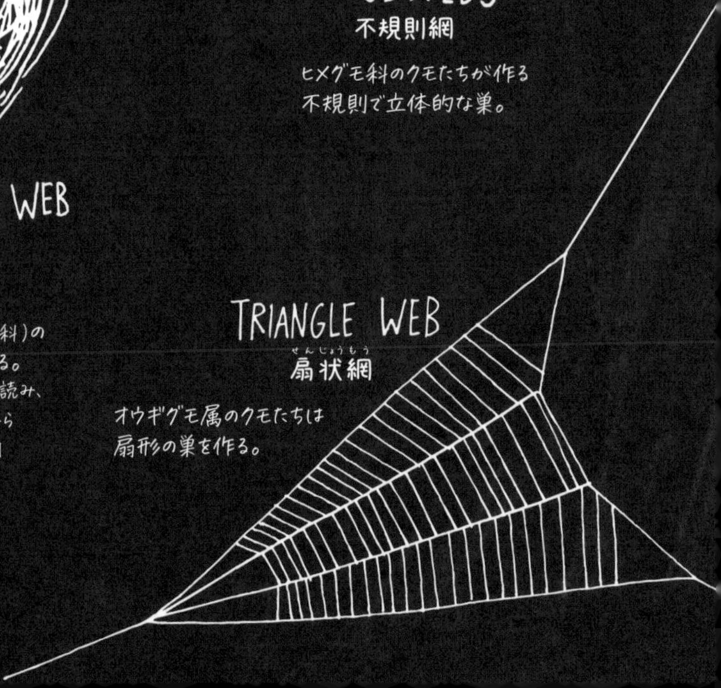

TRIANGLE WEB

扇状網《せんじょうもう》

オウギグモ属のクモたちは
扇形の巣を作る。

ANATOMY OF AN ANT

アリの体の構造

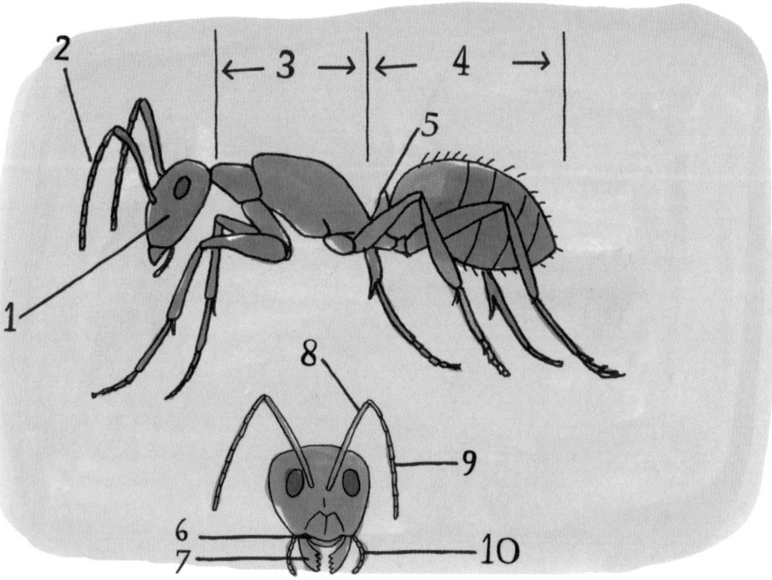

1. head - 頭部 口、大あご、眼、触角などがある。
2. antenna - 触角 匂いを感じる。巣の仲間を認識し、敵に気づく。
3. thorax - 胸部 体の真ん中の部分で、3対の脚が生えている。
4. abdomen or gaster - 腹部／膨《ぼう》腹部 重要な臓器や生殖器などがある。
5. petiole - 腹柄節《ふくへいせつ》 胸部と腹部をつなぐ部分。
6. labrum - 上唇《じょうしん》 口器の一部。
7. mandible - 大あご 土を掘って運んだり、食べ物を集めたり、巣を作ったりするのに使う。
8. shaft - 柄節《へいせつ》 触角の根元に近い部分。
9. lash - 鞭節《べんせつ》 触角の先のほうで、匂いを感じとる。
10. labial palp - 唇弁《しんべん》 下唇の役割を果たす。

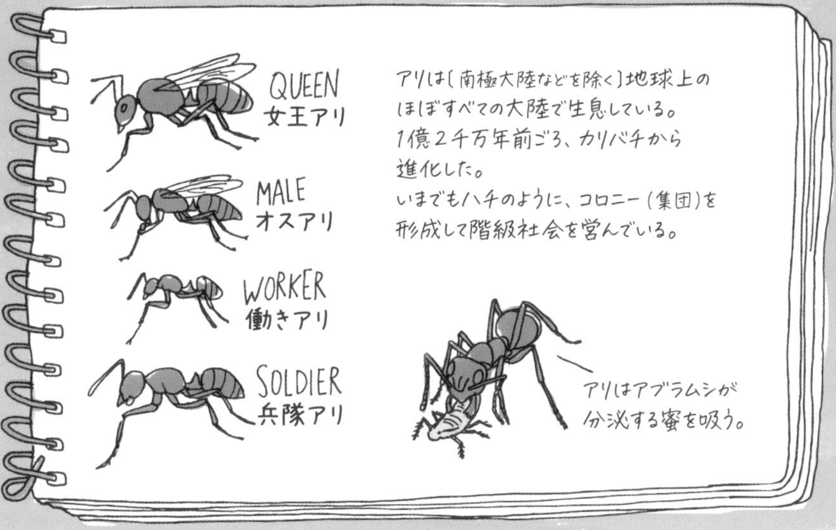

アリが死んだ仲間たちを扱うようすは、まるで人間のようだ。死骸《しがい》は2日ほど安置《あんち》されたあと、運び出される。死骸からオレイン酸という化学物質が分泌されるまで、死んだことがわからないためだ。アリの体が腐《くさ》り始めて異臭《いしゅう》がしてくると、仲間たちがオレイン酸の匂いをかぎつけ、死んだアリを死骸置き場へと運んでいく。昆虫学者エドワード・O・ウィルソンは、生きているアリにオレイン酸をかけると、仲間のアリたちは、そのアリが死んだと思って運んでいってしまうことを発見した。

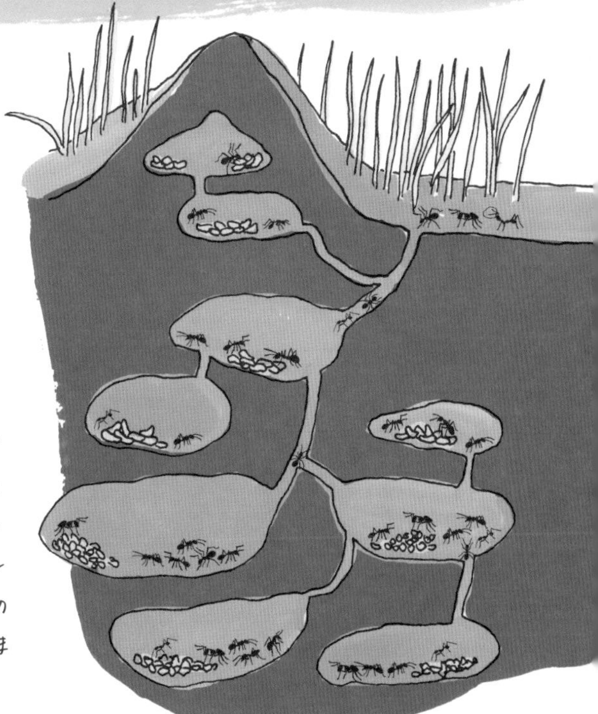

CHAPTER 4

Take a Hike

ハイキングに行こう

いろいろな樹形

Tree Shapes

ピラミッド形

円錐《えんすい》形

円筒形

円蓋《えんがい》形

杯《さかずき》形

枝垂《しだれ》形

球形

整形

不整形

ANATOMY OF A DECIDUOUS TREE

落葉樹《らくようじゅ》の構造

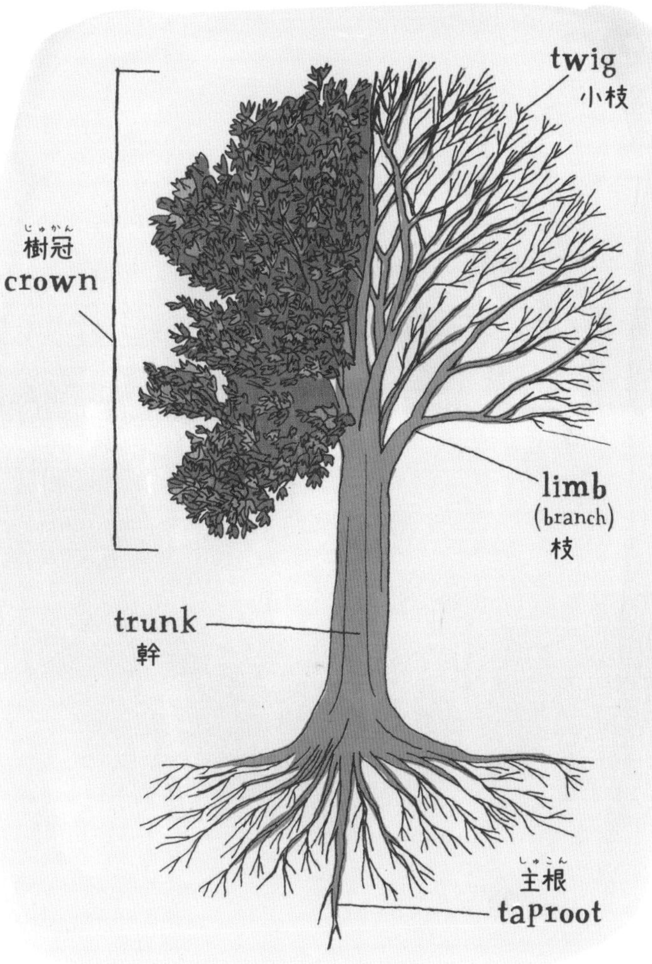

ANATOMY OF A TRUNK

幹の構造

SAPWOOD 辺材《へんざい》

生きた細胞と死んだ細胞からできており、
根から吸収した養分や水分を樹幹へと運ぶ。
これを「転流《てんりゅう》」という。

HEARTWOOD 心材《しんざい》

死んだ細胞でできており、
樹木の中心となって柱のように
全体を支える。

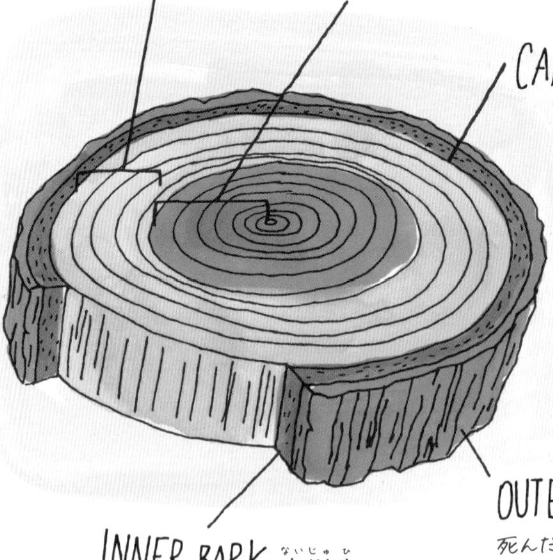

CAMBIUM 形成層《けいせいそう》

細胞がどんどん増殖して
成長する部分で、材〔辺材
および心材〕や樹皮が作ら
れる。

INNER BARK 内樹皮《ないじゅひ》

生きた細胞の組織で、
葉で光合成された養分を
幹や根に運ぶ。

OUTER BARK 外樹皮《がいじゅひ》

死んだ細胞の組織で、
樹木の内部を外界から
保護する。

Dendrochronology

年輪年代学

（幹の断面に見られる年輪変動を調べることによって、
その木の伐採年代や枯死年代を決定する学問）

木の形成層で新たに成長した部分は、幹の断面において同心円状に現れる。それを「年輪」といい、1年にひとつずつ増えていく。夏と冬の季節のちがいが大きい温帯で育つ樹木には、くっきりとした年輪ができる。長い雨期によってよく成長した場合は、年輪の幅が大きくなる。降水量の少ない年には、年輪の幅が狭くなる。

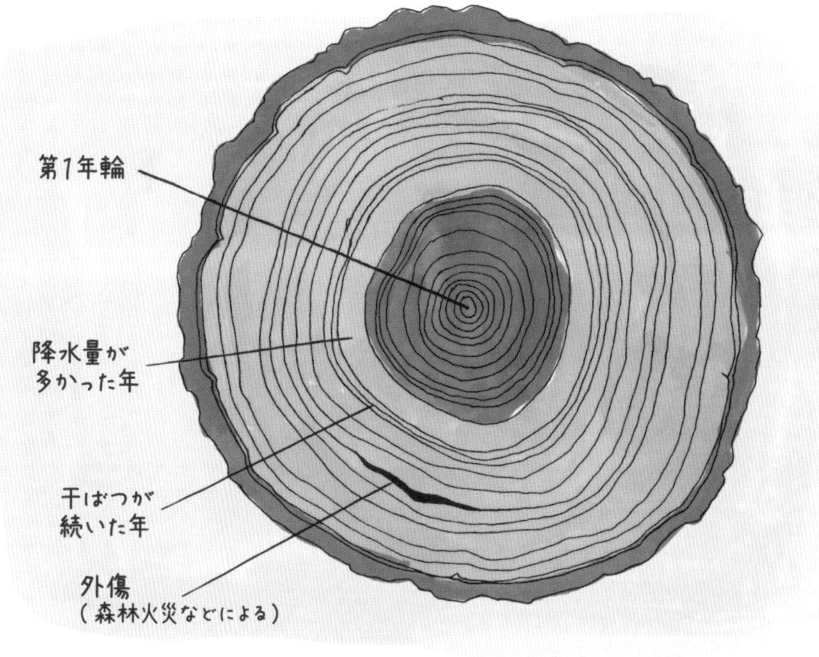

現存する世界最古の木は、カリフォルニア州ホワイトマウンテンに生息する
イガゴヨウ〔別名グレートベースン・ブリッスルコーンパイン、マツ科マツ属〕。
「ハッチツリー」と名付けられたこの木には、年輪が5063個もあることがわかっている。

LEAF IDENTIFICATION

葉っぱの見分け方

Shape 形

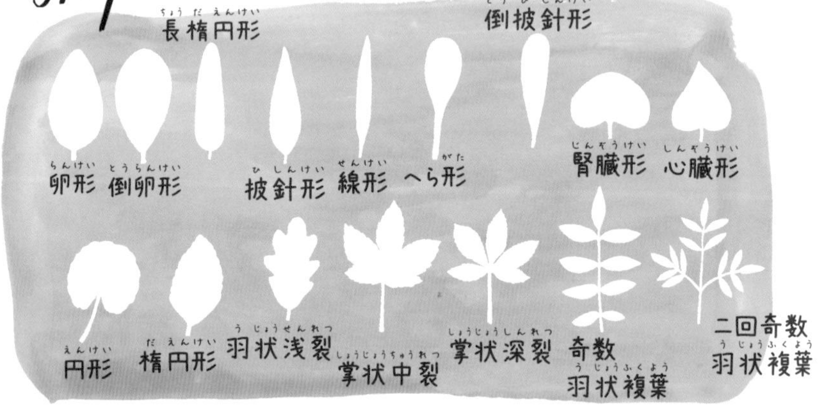

Margin 葉縁《ようえん》（葉のふちの部分）

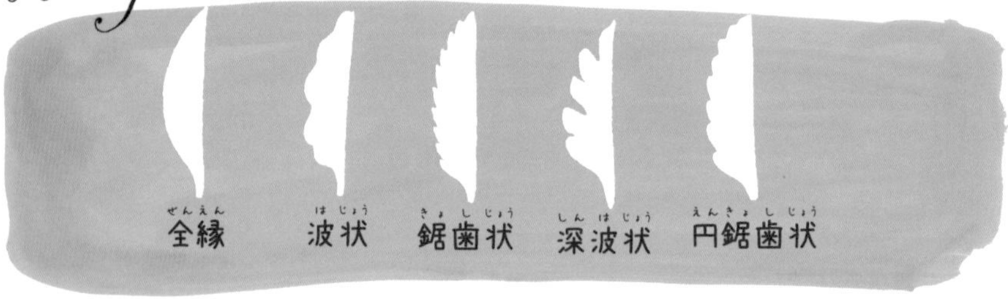

Venation 脈相《みゃくそう》（葉脈の分布状態）

Parts of a Leaf

葉の部分名称

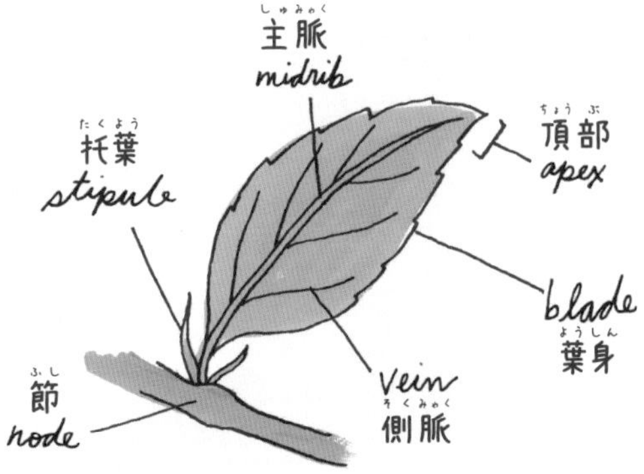

NORTH AMERICAN TREES

北米の木々

Giant Sequoia

(SEQUOIADENDRON GIGANTEUM)

セコイアオスギ

北米で幹がもっとも太い木。成木《せいぼく》になると、1万1000個ほどの球果〔松かさ、松ぼっくり〕から40万個もの種子がとれる。

Coast Redwood

(SEQUOIA SEMPERVIRENS)

セコイア

現存する木のなかで世界でもっとも高く、約115mに達するものもある。

Bristlecone Pine

(PINUS ARISTATA)

イガゴヨウ〔マツ科〕

現在確認されている世界最古の木で、樹齢約5000年のものもある。

アメリカニレ

American Elm (ULMUS AMERICANA)

子《し》のう菌の一種を病原とするニレ立枯病《たちがれびょう》のせいで、ますます希少になっている。

Sweetgum

(LIQUIDAMBAR STYRACIFLUA)

モミジバフウ

モミジバフウは春に葉が出るのがもっとも遅い木のひとつで、秋に枯れ葉が落ちるのももっとも遅い。

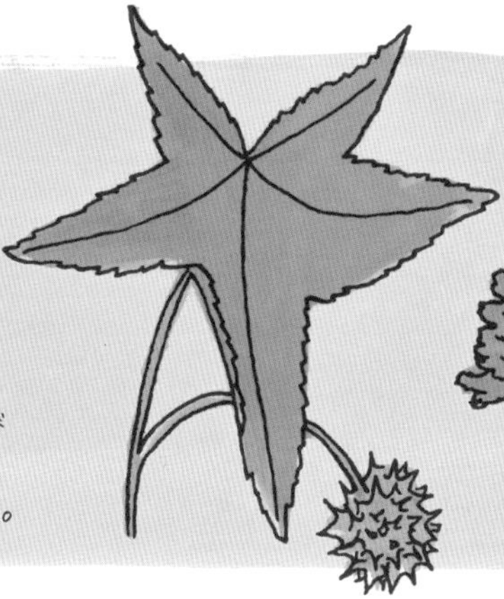

Swamp Cypress (TAXODIUM DISTICHUM)

ラクウショウ(別名ヌマスギ)

沼沢地《しょうたくち》で根元が水につかった状態で生えていることが多い。幹のまわりの水中からのぞいている「膝根」は幹を支え、空気中の酸素を吸収するのに役立つ。

Southern Live Oak

(QUERCUS VIRGINIANA)

サザンライブオーク

高さよりも横幅のほうが長い、
めずらしいオークのひとつ。

Northern Red Oak

(QUERCUS RUBRA)

アカガシワ

最適な生育条件下では、
500年も生きることができる。

Weeping Willow

(SALIX BABYLONICA)

シダレヤナギ

アメリカ先住民にとって
欠かせない薬用植物。
アスピリンの有効成分である
サリチル酸が樹液に
含まれている。

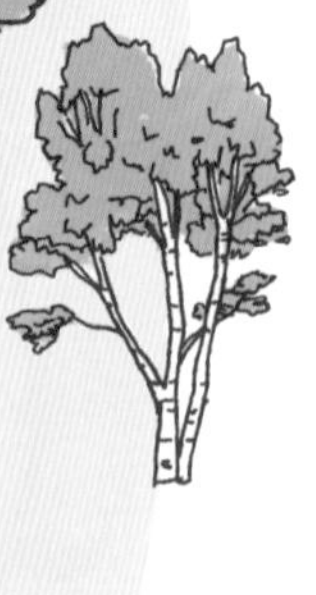

Paper Birch

(BETULA PAPYRIFERA)

アメリカシラカンバ

樹液を煮詰めるとバーチシロップ
という甘味料ができる。

Madrone

(ARBUTUS MENZIESII)

マドロナ

北米の西部沿岸地域原産の常緑樹で、薄い樹皮がめくれてはがれる。

Sugar Maple

(ACER SACCHARUM)

サトウカエデ

カエデ属の124品種のうち、樹液から糖分を採取できるのは13品種。サトウカエデとクロカエデからはもっとも濃厚な樹液がとれる。

Staghorn Sumac

(RHUS TYPHINA)

アメリカハゼノキ

柑橘類のようなさわやかな酸味のある果実を砂糖漬けにすれば、晩夏のおいしい飲み物になる。

Black Cherry

(PRUNUS SEROTINA)

ブラックチェリー

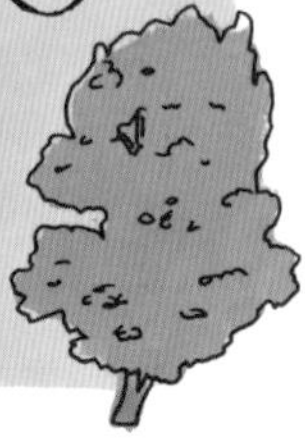

若い実をひっかいたりつぶしたりすると、
アーモンドのような匂いがする。

Southern Magnolia

(MAGNOLIA GRANDIFLORA)

タイサンボク

香りのよい白い花は直径30cmほど
になることもある。

Ginkgo

(GINKGO BILOBA)

イチョウ

イチョウは世界に1科1属1種の植物で
あることが、きわめて大きな特徴。
〔イチョウの仲間はもう存在しないが、古代には
生育していたことが化石からわかっている〕

Ponderosa Pine

(PINUS PONDEROSA)

ポンデローサマツ

このマツは山火事があっても
生き延びられるように進化した。
幹の溝のあいだの樹皮は、
バニラのような香りがするという。

Black Walnut

(JUGLANS NIGRA)

ブラックウォルナット

ブラックウォルナットの核果《かっか》は、
黄色や茶色の染料の原料として
使われる。

Tamarack

(LARIX LARICINA)

アメリカカラマツ

ふつうのマツのように
常緑樹に見えるが、
このマツは秋になると、
針葉が黄色っぽくなって
落葉《らくよう》する。

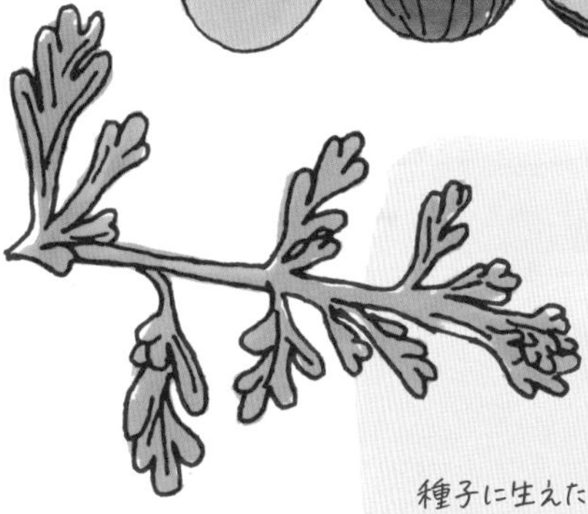

Cliffrose

(COWANIA MEXICANA)

クリフローズ

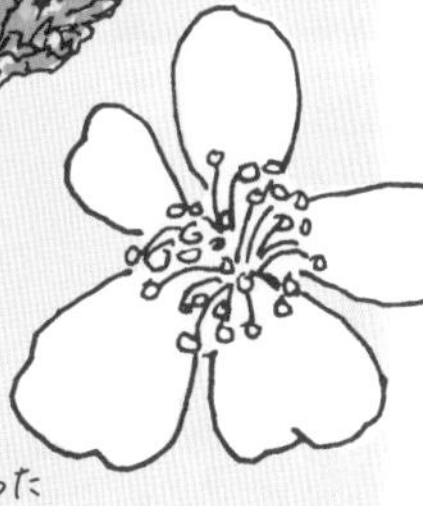

種子に生えた長い綿毛のおかげで、
小さなパラシュートのように風に飛ばされ、
広い地域に散らばる。地面に落ちると、折れ曲がった
綿毛が風に吹かれてドリルのように土を掘り、
種子が土のなかに入る。

Pacific Yew

(TAXUS BREVIFOLIA)

タイヘイヨウイチイ

抗がん薬「タキソール」は、このイチイ
の樹皮から取り出されたもの。

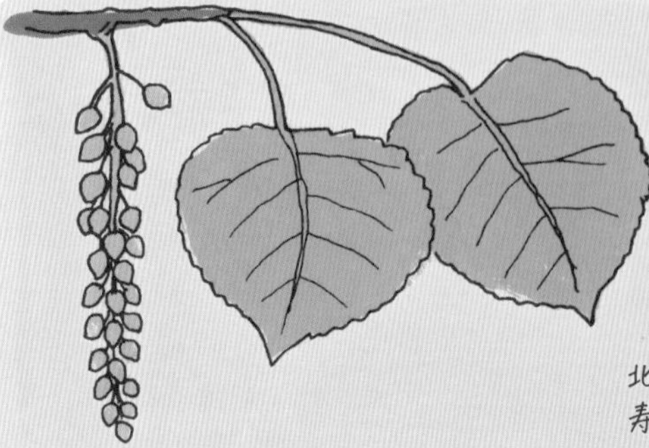

Eastern Cottonwood

(POPULUS DELTOIDES)

ヒロハハコヤナギ

北米でもっとも大きな広葉樹のひとつで、
寿命は70～100年くらい。

Northern Catalpa

(CATALPA SPECIOSA)

ハナキササゲ

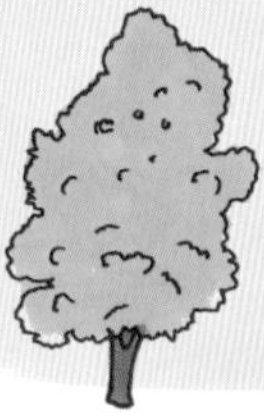

アメリカ中西部原産の
中型の木で、観賞用
に植えられることが
多い。

Red Mangrove

(RHIZOPHORA MANGLE)

アメリカヒルギ

ほかの木が育たないような海岸線や
塩分濃度の高い湿地帯に生えている。
種子は［右の絵のように］発芽して
大きくなったあとに木から落ちる。

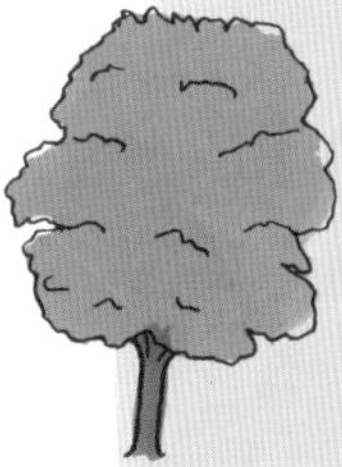

Black Locust

(ROBINIA PSEUDOACACIA)

ハリエンジュ

約2.5～5cmほどの葉が
左右に15～30cmほど並ぶ。
夜になると、葉っぱは閉じてしまう。

American Holly

(ILEX OPACA)

アメリカヒイラギ

メスの木にだけ、クリスマスの飾りに
使われる赤い実がなる。

Fireberry Hawthorn

(CRATAEGUS CHRYSOCARPA)

ファイアーベリーサンザシ

こんもりとしたサンザシの茂みは、小鳥たちの
隠れ家になる。サンザシの実は生のままパイや
ジャム作りに使ったり、乾燥させたりして食べる。

Faxon Yucca

(YUCCA FAXONIANA)

ユッカファクソニアーナ

砂漠に生息するこの木のとがった
葉は、最長で約1.4mにもなる。
てっぺんに約60cmのクリーム色の
花が咲く。

BEAUTIFUL BARK
美しい樹皮

Shagbark Hickory
(CARYA OVATA)
シャグバークヒッコリー

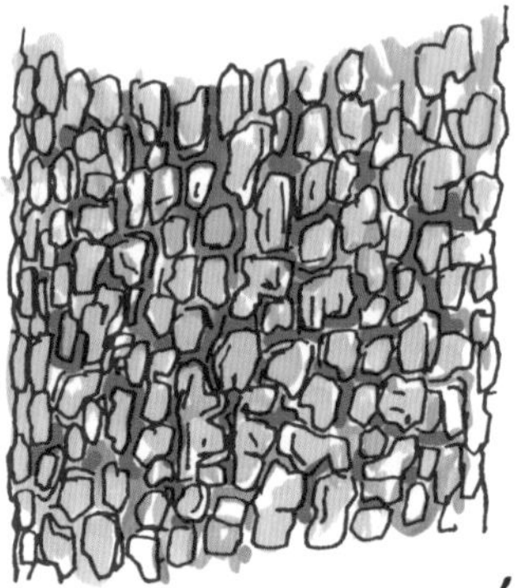

Flowering Dogwood
(CORNUS FLORIDA)
ハナミズキ

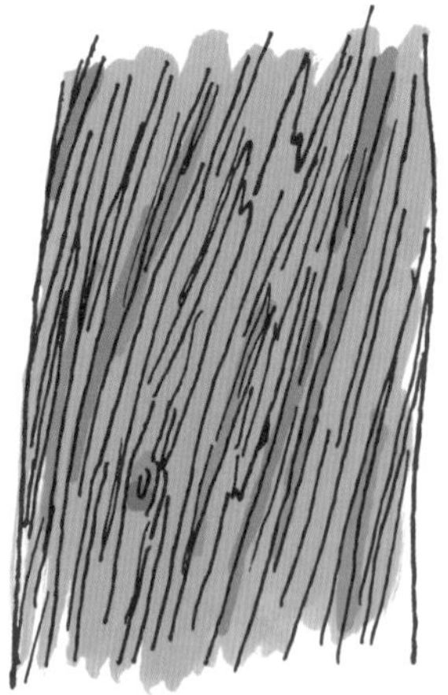

Northern White Cedar
(THUJA OCCIDENTALIS)
ニオイヒバ

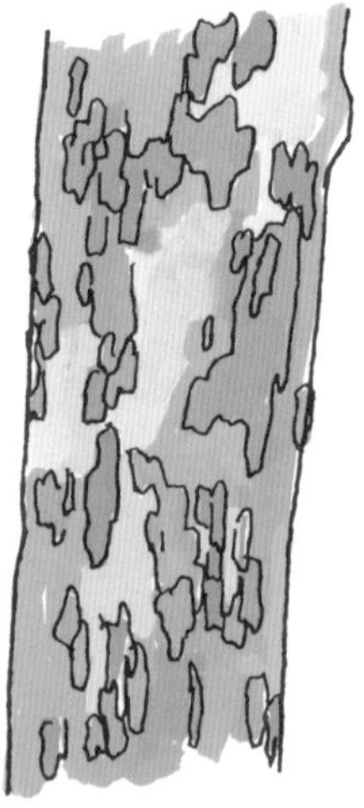

Sycamore
(PLATANUS OCCIDENTALIS)
アメリカスズカケノキ

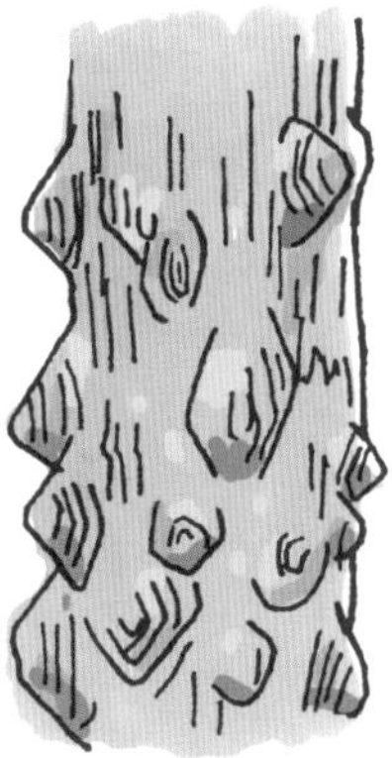

Hercules' Club

(ZANTHOXYLUM CLAVA-HERCULIS)

ヘラクレスクラブ
〔サンショウ属〕

White Poplar

(POPULUS ALBA)

ギンドロ

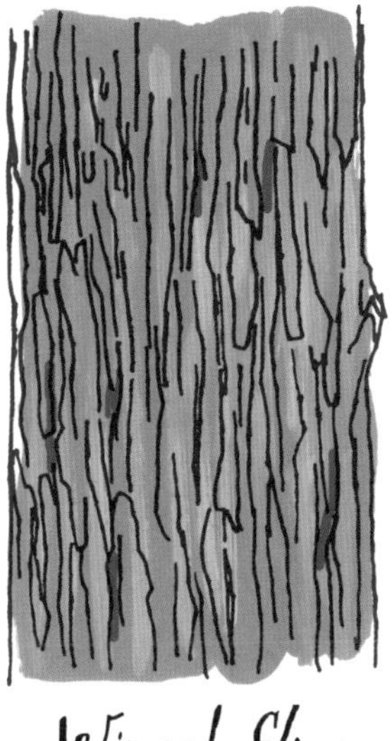

Winged Elm

(ULMUS ALATA)

ウルムスアラータ〔ニレ科〕

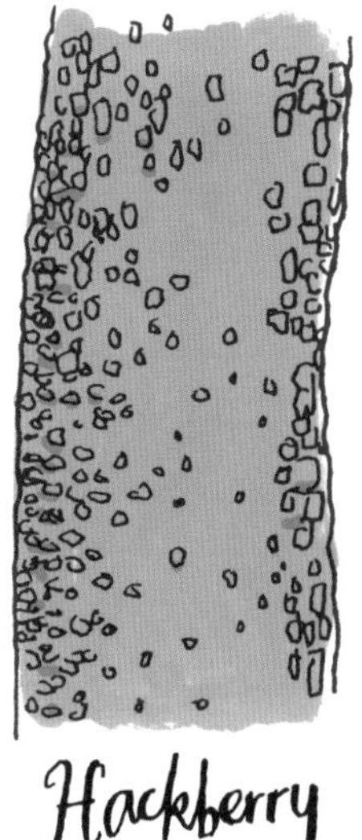

Hackberry

(CELTIS OCCIDENTALIS)

アメリカエノキ

SOME FLOWERS, CONES, SEEDS + FRUITS OF TREES

木に咲く花、球果*、種子、果実

〔*針葉樹類の果実。松ぼっくりなど〕

アメリカスモモ
American plum
(PRUNUS AMERICANA)

アカニレ
Slippery Elm
(ULMUS RUBRA)

ネコヤナギ
Pussy willow
(SALIX DISCOLOR)

トネリコバノカエデ
Box Elder
(ACER NEGUNDO)

ヒメトチ
Ohio Buckeye
(AESCULUS GLABRA)

Red Alder
(ALNUS RUBRA)
レッドアルダー
〔カバノキ科〕

Sweetbay
(MAGNOLIA VIRGINIANA)
ヒメタイサンボク

Pecan
(CARYA ILLINOENSIS)
ペカン

アカミグワ
Red Mulberry
(MORUS RUBRA)
アメリカハリグワ
Osage Orange
(MACLURA POMIFERA)
カナダトウヒ
White Spruce
(PICEA GLAUCA)
セイヨウネズ
Common Juniper
(JUNIPERUS COMMUNIS)
ポポー
Pawpaw
(ASIMINA TRILOBA)
Bur Oak
(QUERCUS MACROCARPA)
バーオーク〔ブナ科〕
Black Locust
(ROBINIA PSEUDOACACIA)
ニセアカシア

Printing Patterns
葉っぱでアート！
（ローラー版画《はんが》）

TOOLS 用意するもの

・ローラー　・版画用の紙（または布）　・絵の具
・数枚の紙（葉っぱに絵の具をつけるときにしく）　・パレット

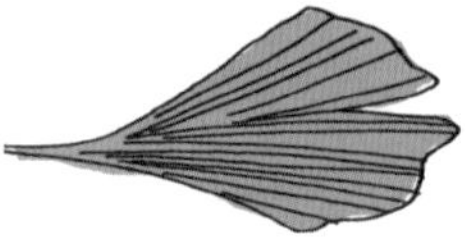

INSTRUCTIONS 手順

面白い形の葉っぱや小枝、草花を集める。
絶滅危惧種〔生息数が減っていて、絶滅するおそれのある生物種〕の植物は採らないこと。また、ひとつの種類をたくさん採らないように注意しよう。

パレットに絵の具を出し、その上でローラーをころがして絵の具をまんべんなくつける。ペチャペチャと音がする。

絵の具をつけるための紙の上に葉っぱを1枚置き、その上からローラーをころがす。
葉っぱの表面全体に絵の具がつくようにする。

絵の具のついた面を下にして葉っぱを版画用の紙（または布）にのせ、
上から全体をしっかり押して、絵の具が紙（または布）に移るようにする。
ゆっくり葉っぱをはがすと、葉っぱの版画が現れる。

TIPS ポイント

押すときの強さを変えてみる。強く押して絵の具のあとがべったりつくよりも、
そっと押して絵の具がかすかにつくほうが、すてきな場合もある。
逆のやり方で、絵の具を塗った葉っぱの上に紙をのせて押したら
どんなふうになるか試してみるのもいい。

デザインも工夫してみよう。いろんな形の葉っぱを同じ色に塗って並べてもいいし、
ひとつの種類の葉っぱをいろんな色に塗り分け、
同じ模様を繰り返し作って
並べるのも楽しい。

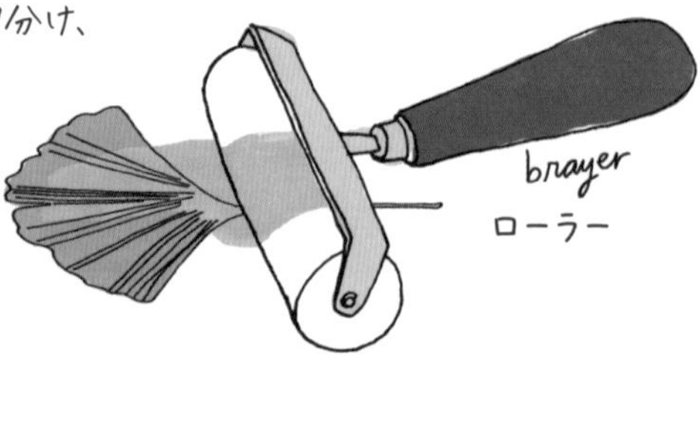

ANATOMY OF A FERN

シダの構造

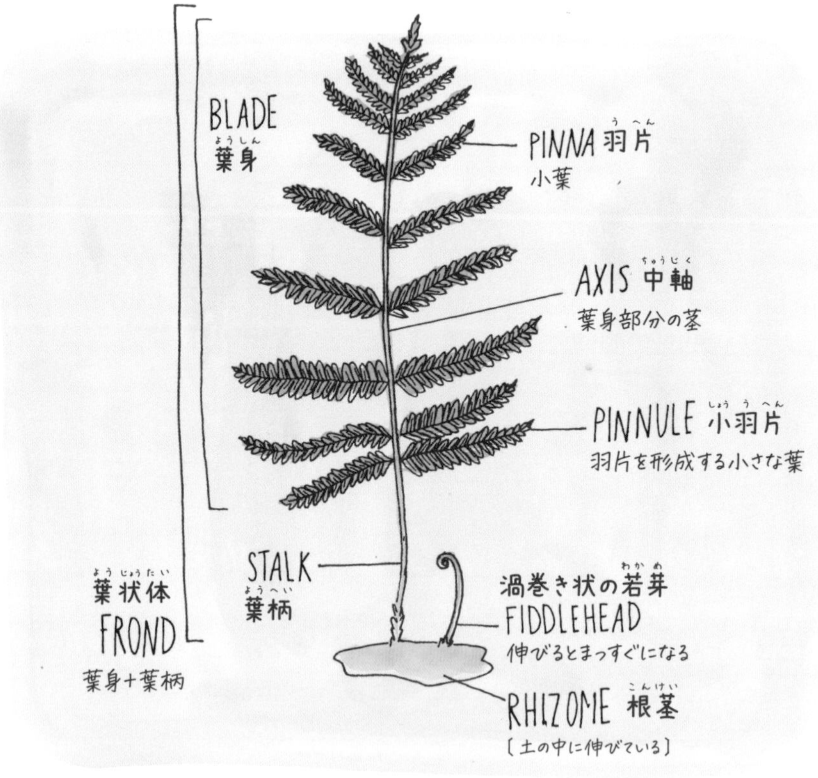

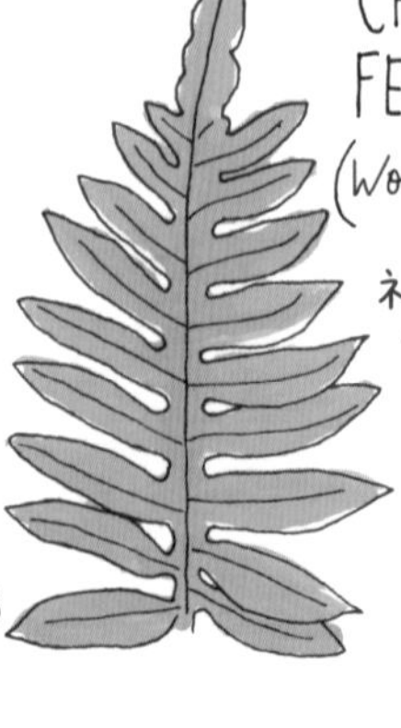

NETTED CHAIN FERN (*Woodwardia areolata*)
ネッテッド チェーン ファーン

NEW YORK FERN (*Thelypteris noveboracensis*)
ニューヨークファーン

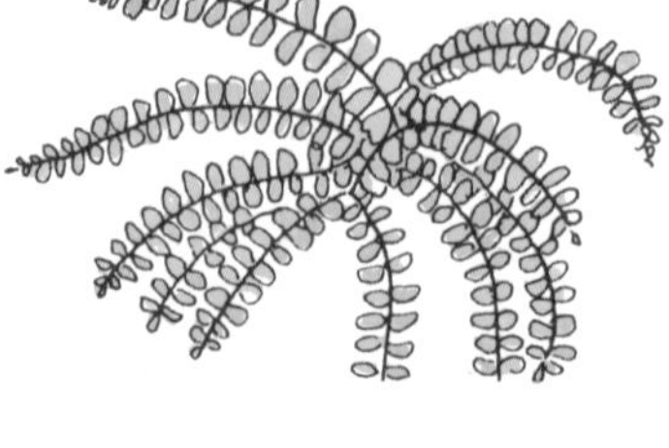

チャセンシダ
MAIDENHAIR SPLEENWORT (*Asplenium trichomanes*)

PRETTY, PRETTY LICHEN

きれいな、きれいな地衣類《ちいるい》

オオロウソクゴケモドキ

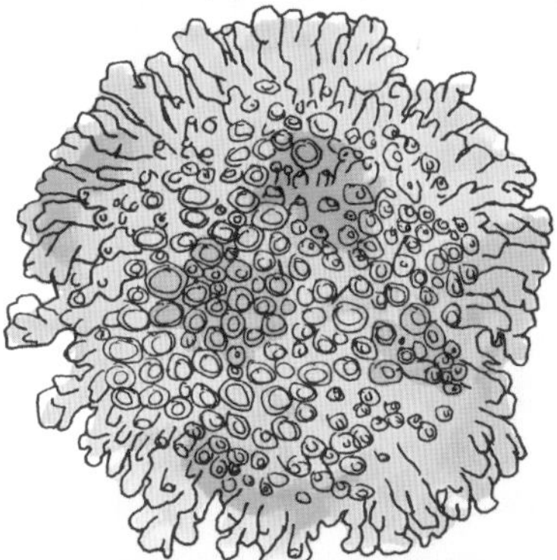

ELEGANT SUNBURST LICHEN
(*Xanthoria elegans*)

地衣類は、菌類《きんるい》と藻類《そうるい》が助け合って生きている共生体《きょうせいたい》。色はコケのようなあざやかな緑色ではなく、構造も葉っぱのような形ではない。

砂漠や北極圏のツンドラ地帯、
海岸の波打ち際など、世界中の過酷な
自然環境で生息している地衣類は
大気汚染の生物指標となっており、
都市部ではあまり多くの種類は見られない。

地球上の陸地の6%は、地衣類に
覆われていると考えられている。

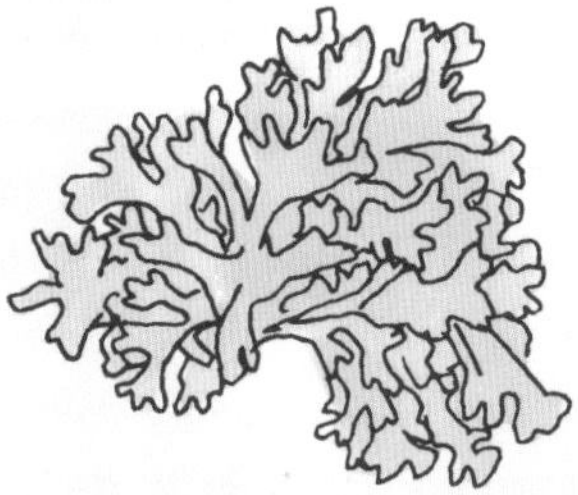

TUMBLEWEED SHIELD LICHEN
(*Xanthoparmelia chlorochroa*)
タンブルウィード
シールド
〔ウメノキゴケ科〕

セイヨウ
オオローソクゴケ
COMMON
ORANGE LICHEN
(*Xanthoria parietina*)

キウメノキゴケ
CAPERAT LICHEN
(*Flavoparmelia caperata*)

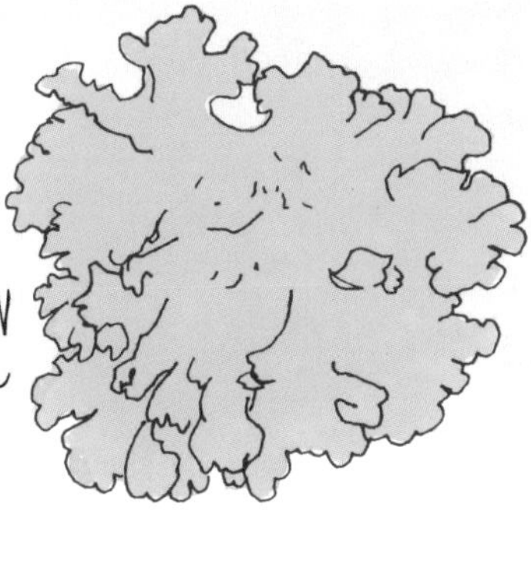

WHITE-WORM LICHEN
(*Thamnolia vermicularis*)

ムシゴケ

MYSTERIOUS MOSSES
神秘的なコケ類

コケは胞子で増える小さな植物で、単純なつくりの葉はあるが、花は咲かず種子も作らない。体の細胞のなかに葉緑体があり、光合成を行って養分を作っている。水分や養分を吸い上げる根がないため、体の表面全体で吸収する。コケは日かげや湿った場所に群生するが、木の北側の面にだけ生えていることもある。

コケの匂いに誘われてきたダニやトビムシなどの小さな虫たちが、コケの胞子をあちこちにまき散らすのに役立つ。

第一次世界大戦では、包帯のかわりに大量のミズゴケが傷の手当に使われた。ミズゴケは乾燥重量〔水分を含むものを乾燥させたときの重量〕の20倍もの水分を吸収することができる。

タチゴケ

STAR MOSS
(Atrichum angustatum)

アメリカ
マンネングサ

TREE MOSS
(Climacium americanum)

スプーンリーブド
〔アオギヌゴケ科〕
SPOON-LEAVED MOSS
(Bryoandersonia illecebra)

シロシラガゴケ

PINCUSHION MOSS
(Leucobryum glaucum)

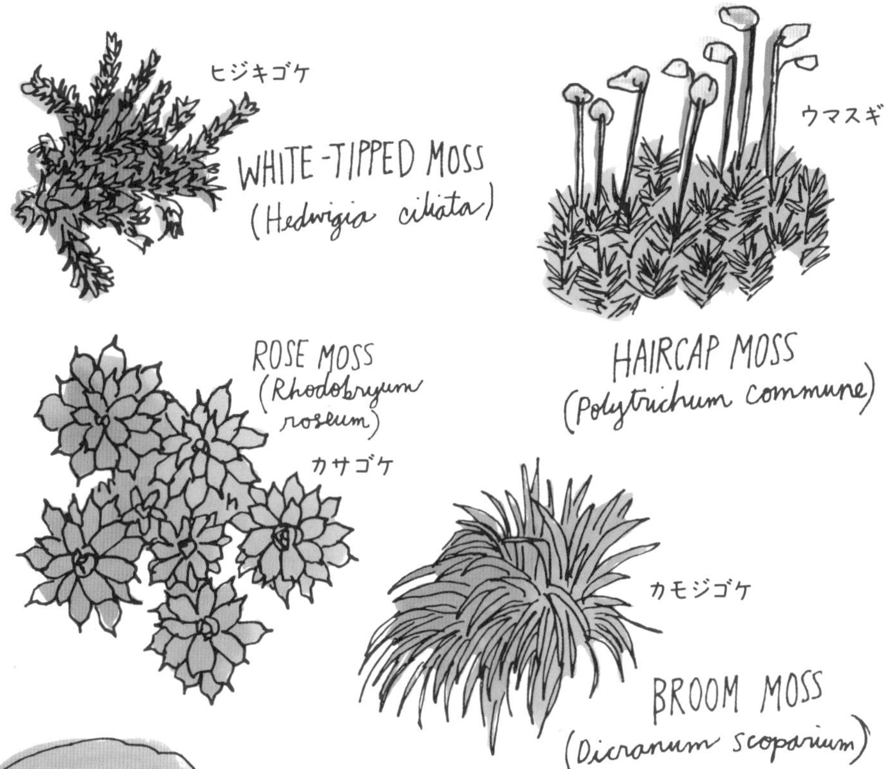

クマムシ
WATERBEARS

クマムシは8本足の微小な水生動物で、体長は約0.6mm。コケ類や地衣類を食べて生きている。世界でもっとも環境への適応力が強い生き物といえる。〔通常は85%の〕体内水分が3%まで低下して乾燥すると、活動を休止して眠ってしまう。この状態になると、マイナス150℃〜プラス150℃の温度変化にも耐えられ、真空の宇宙空間や超高圧(600気圧)の環境、強い放射線が当たる環境でも生き延びることができる。しかも、なんだか愛嬌《あいきょう》があって、かわいい。

Mycelium

菌糸体《きんしたい》

〔菌糸体は菌糸の集合体〕

菌類は菌糸と呼ばれる白い糸状体を枝分かれさせ、網の目のように張りめぐらせて栄養を吸収する。土のなかに隠れているため根とまちがえられたりするが、じつはこの菌糸体がきのこの本体部分なのだ。きのこは子実体《しじったい》と呼ばれ、胞子を生産して飛散させるためのものであり、温度や湿度などの条件が整ったときだけ姿を現す。

菌糸体は植物体の有機物素材の分解において重要な役割を果たすだけでなく、「菌根」という、植物の根と菌類の共生体を形成する。ほとんどの植物は光合成で生成された糖類などの炭素化合物を菌根に提供するかわりに、菌根が土壌から吸収した窒素やリンなどの養分を受け取っている。

オレゴン州東部で見つかった巨大な菌糸体は、推定年齢2200歳。
サッカーフィールド1665面分もの大きさがあるとされ、世界最大かつ
最古の生物のひとつといえる。

ANATOMY OF A MUSHROOM きのこの構造

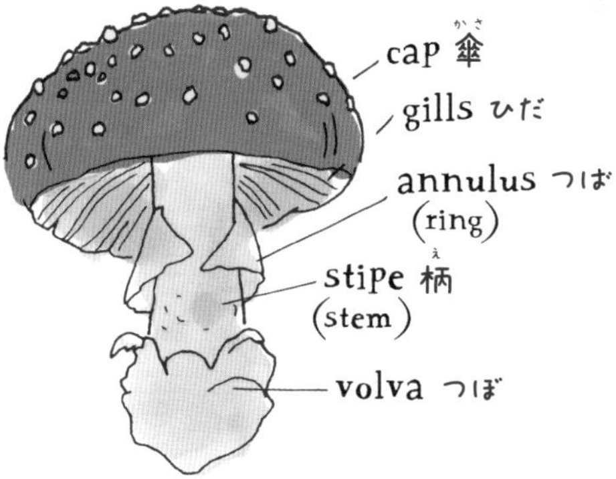

Life Cycle of a Mushroom きのこのライフサイクル

MARVELOUS MUSHROOMS
すばらしいきのこたち

SLIPPERY JACK
(*Suillus luteus*)
ヌメリイグチ

傘の裏に、ひだではなく多数の穴が開いており、そこから胞子をまき散らす。

FLY AGARIC
(*Amanita muscaria*)
ベニテングタケ

猛毒《もうどく》をもっているので食べたら危ないが、非常に見分けやすい。

SAFFRON MILK CAP
(*Lactarius deliciosus*)
アカハツタケ

このオレンジ色の食用きのこは、つぶれたり古くなったりすると深緑色になる。

HONEY MUSHROOMS
(*Armillaria mellea*)
ナラタケ

朽《く》ち木に群生するきのこ。ナラタケの菌糸は生物発光し（つまり、暗闇で光る）、生きた木に菌糸を伸ばして枯らしてしまうこともある。

OYSTER MUSHROOM
(*Pleurotus ostreatus*)
ヒラタケ

風味のよい食用きのこで、朽ち木や切り株に重なり合って発生する。

VIOLET CORT

(*Cortinarius violaceus*)

ムラサキフウセンタケ

以前は食用とされていたが、毒素があることがわかったため、現在は食べられない。このきのこの最大の魅力は、美しい紫色。

RAVENEL'S STINKHORN

(*Phallus ravenelii*)

ファルルスラベネリイ

スッポンタケの一種。腐った肉のような臭いのする粘液を出してハエや甲虫類を惹きつけ、胞子を散布する。

WITCH'S BUTTER

(*Tremella mesenterica*)

コガネニカワタケ

食べられるが、風味はほとんどない。ぬめっとしてべたべたしており「黄色い脳みそ」と呼ばれることも。

SHAGGY CHANTERELLE

(*Gomphus floccosus*)

ウスタケ

食べると中毒症状を起こす毒きのこ。

HEN OF THE WOODS

(*Grifola frondosa*)

マイタケ

このおいしい食用きのこは、ミズナラなどの大木の根元に群生する。

ヒトヨタケ

INKY CAP

(*Coprinopsis atramentaria*)

傘がひと晩で黒色のインク状になって流れ落ちる（インクとして使える）。食べられるが、アルコールを摂取する前後に食べると、食中毒を起こしてしまう。

ROTTING LOG

朽《く》ち木の幹

森の地面に倒れた朽ち木なんて、なんでもないものに見えるかもしれない。でもじつは、朽ち木の幹にはたくさんの動植物がすんでいる。いろいろな昆虫の幼虫たちは、冬を越すために朽ち木の幹のなかへ潜りこむ。カタツムリやナメクジは、有機物や菌類を見つけて大喜び。ミミズは有機物を大量に食べて分解し、栄養素をたっぷり含んだフンを出す。湿り気のある朽ち木の幹は栄養豊富な培養地となって、地衣類やコケ類、花たちを育む。ときにはほかの木の種子が芽を出し、根を張って成長することもある。

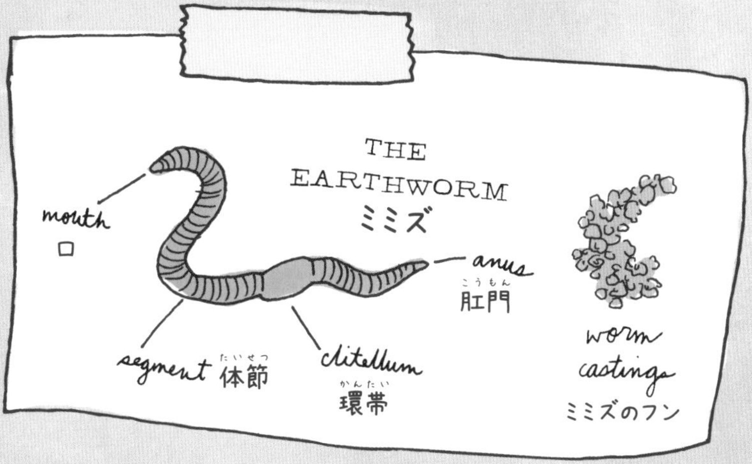
THE EARTHWORM
ミミズ
mouth
口
anus
肛門《こうもん》
segment 体節《たいせつ》
clitellum
環帯《かんたい》
worm castings
ミミズのフン

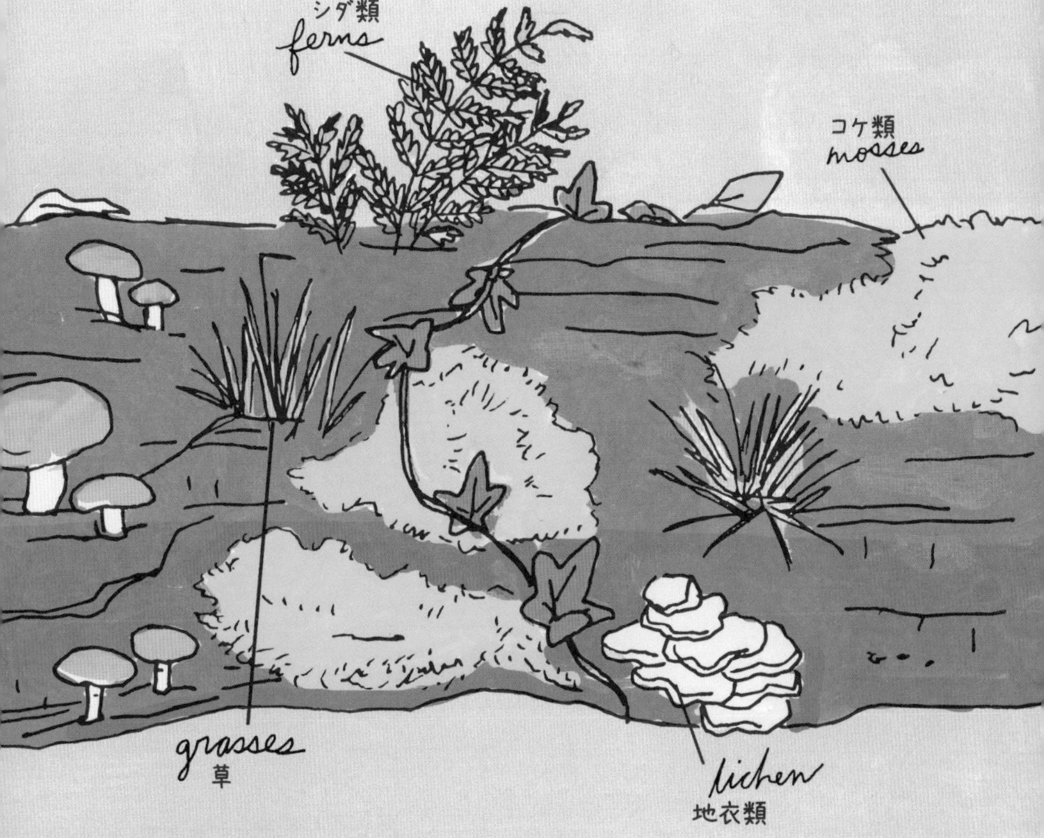
シダ類
ferns
コケ類
mosses
grasses
草
lichen
地衣類

FORAGING IN THE FOREST

森で食べられる植物を採る

森のなかで木の実やベリー類、きのこを探すという昔ながらの習慣が復活し、最近ではあちこちのファーマーズマーケットで、ゼンマイやワイルドランプスなどの山菜を見かけるようになった。ほかにも、ドングリ、バルサムモミやトウヒの内皮、チョークベリー〔別名アロニア〕など、森には食べられるものがたくさんある。

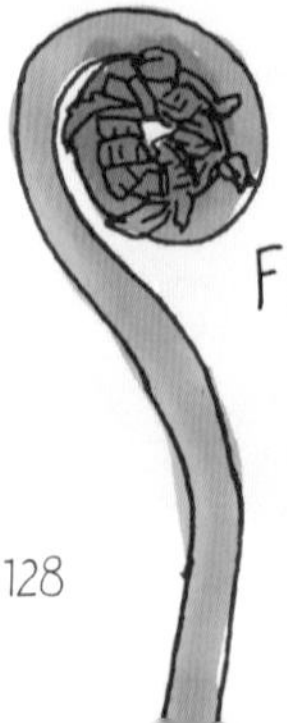

Dry-Sautéed Bolete with Yellow Wood Sorrel and Thyme

ポルチーニのソテー　タイム風味 オッタチカタバミを添えて

- ポルチーニ〔ヤマドリタケ〕(生) … 約450g
- バター … 大さじ2
- 白ワイン … 大さじ2
- タイム … 1枝(みじん切り)
- オッタチカタバミの花と葉 … 適宜
- 塩・コショウ

ポルチーニ
KING BOLETE
(boletus edulis)

生のきのこは加熱すると型崩れしてしまうことがある。少量の油脂を使ってソテーすることで、こんがりとした焼き色がつき、きのこ本来の風味や食感を引き出すことができる。作り方はとっても簡単。

製菓用のやわらかいハケを使って、ポルチーニの汚れをそっと落とす。風味が落ちるので、水洗いはしないこと。どうしても必要な場合は少量の冷水でさっと洗うか、ぬれぶきんで汚れを落とす。

ポルチーニを約8mmの薄切りにし、乾いたフライパンに重ならないように並べ、中火にかける。フライパンに貼りつかないように、ときどき混ぜ返す。ポルチーニに焼き色がついて水分がなくなったら、バター、ワイン、タイムをフライパンに加える。ポルチーニが水分を吸うまでさらに2〜3分、ときどき混ぜ返しながら加熱する。

フライパンを火から下ろし、オッタチカタバミの黄色い花と葉っぱをトッピングとして加え(あなたの家のお庭にも生えているかも!)、塩・コショウで味を調える。リゾットやパスタの上にのせていただく。

CHAPTER 5

Creature Feature

ユニークな動物たち

ANIMALS IN THE NEIGHBORHOOD
身近な動物

Woodchuck《ウッドチャック》

別名グラウンドホッグ
〔リス科〕。逃げるためなら
木にも登れる。

Raccoon《アライグマ》

前足も後ろ足も5本指で、親指以外の指が長い。前足の足裏が敏感で、センサーのような役目を果たしている。泳ぐのが上手。

オポッサム
Opossum

別名フクロネズミ。北米で唯一の有《ゆう》袋《たい》類《るい》で、カンガルーのように袋のなかで子どもを育てる。

シマスカンク
Striped Skunk

夜行性の雑食動物。スカンクは敵に襲われそうになると、肛門腺から猛烈に臭い液体を噴射するが、スカンクの天敵であるミミズクには嗅覚がないため、臭さを感じない。

トウブモグラ
Eastern Mole

ほとんど土のなかで単独で生息しており、ミミズや甲虫などの幼虫を食べる。目はほとんど見えないが、聴覚がとても鋭い。

ANATOMY OF A BAT

コウモリの体の構造

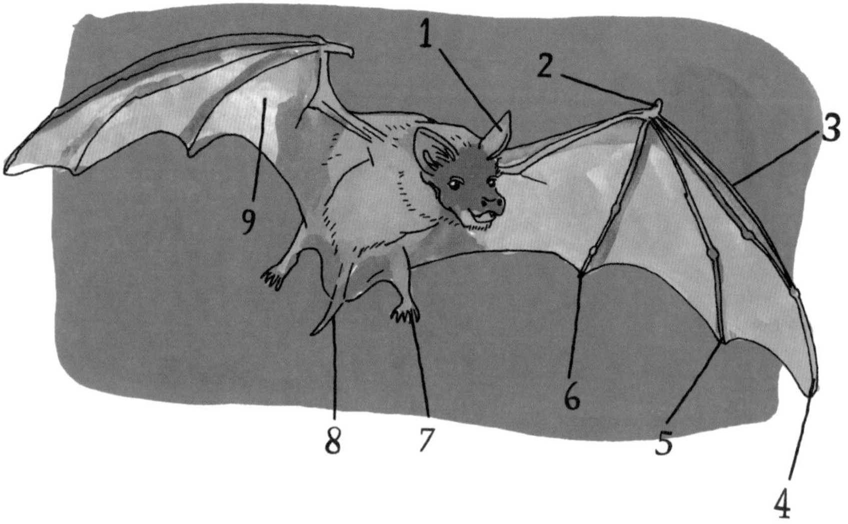

1. ear 耳
2. thumb 親指(第1指《し》)
3. second finger 第2指《し》
4. third finger 第3指《し》
5. fourth finger 第4指《し》
6. fifth finger 第5指《し》
7. foot 足
8. tail 尾
9. membrane 飛膜《ひまく》
〔コウモリやムササビなどが空中を移動するために特殊化した皮膚〕

コウモリは哺乳類のなかで唯一、自力で羽ばたいて空を飛ぶことができる。
〔モモンガやムササビは高い木に登って飛び下り、飛膜を広げて滑空《かっくう》し、別の木へと飛び移る〕

COMMON NORTH AMERICAN BATS
北米でよく見られるコウモリたち

コウモリは哺乳類の約20%を占め、1000種以上が確認されている。昆虫を食べるコウモリは、超音波を発して獲物の位置を驚くほど正確につきとめる。ほとんどの大型コウモリは果実を食べ、種子や花粉の散布に役立っている。鳥類や家畜の血を吸う「吸血コウモリ」は3種類いるが、数は非常に少ない〔日本にはいない〕。

BIG BROWN BAT
オオクビワコウモリ

おもに甲虫類を食べる。
上空3kmまで飛ぶことができる。

LITTLE BROWN BAT
トビイロホオヒゲコウモリ

1日20時間も寝るが、
起きているときは1時間で
600～1200匹もの
虫をつかまえることができる。

BRAZILIAN FREE-TAILED BAT
メキシコオヒキコウモリ

別名ブラジルオオコウモリ。西半球〔南北アメリカ大陸やグリーンランドなど〕でもっともよく見られる哺乳類のひとつ。洞穴のなかで、数百万匹の集団で子どもを育てる。

SILVER-HAIRED BAT
銀毛《ギンモウ》コウモリ

洞穴のなかで、単独で
生息している。飛ぶ速さ
はややゆっくり。

TREE SQUIRRELS

樹上性《じゅじょうせい》リス

〔木の上で生活するリス〕

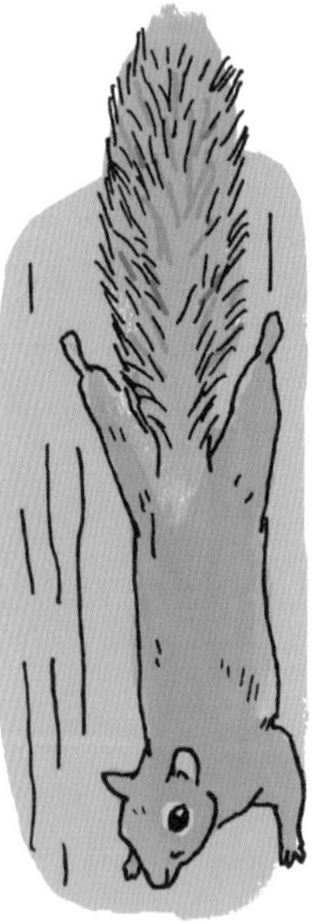

Eastern Gray Squirrel

トウブハイイロリス

頭から先に木を下りることができる、
数少ない哺乳類のひとつ。

American Red Squirrel

アメリカアカリス

おもにトウヒの実や
松ぼっくりを食べるが、
きのこ、植物の新芽や花、
鳥の卵なども食べる。

Northern Flying Squirrel

オオアメリカモモンガ

リス科の夜行性のモモンガで、
鳥のように自力で空を飛ぶのではなく、
高いところから落ちる力を利用して「滑空《かっくう》」する。
体の両側にある飛膜《ひまく》で風を受け、
木から木へと飛び移っていく。滑空距離は
10～30mくらいだが、なかには100m以上も
滑空するモモンガも確認されている。

GROUND SQUIRRELS

地《じ》リス

〔地上で生活するリス〕

Yellow-Bellied Marmot

キバラマーモット

マーモットは巣穴を掘らずに
岩山にすんでいることも多い。

プレーリードッグやマーモットは、巣穴の近くに立って見張りをする。
ヘビやタカなどが近づいてくると、見張り番は警戒の鳴き声を上げて
仲間に知らせる。

**オグロ
プレーリードッグ**

群れで生活し、
高い社会性をもつ。
数百匹の集団で地下に
「町(タウン)」と呼ばれる
広大な巣穴〔寝場所やトイレ、
子ども部屋もある〕を作り、
小さな家族ごとに分かれて
生活している。

Black-Tailed Prairie Dog

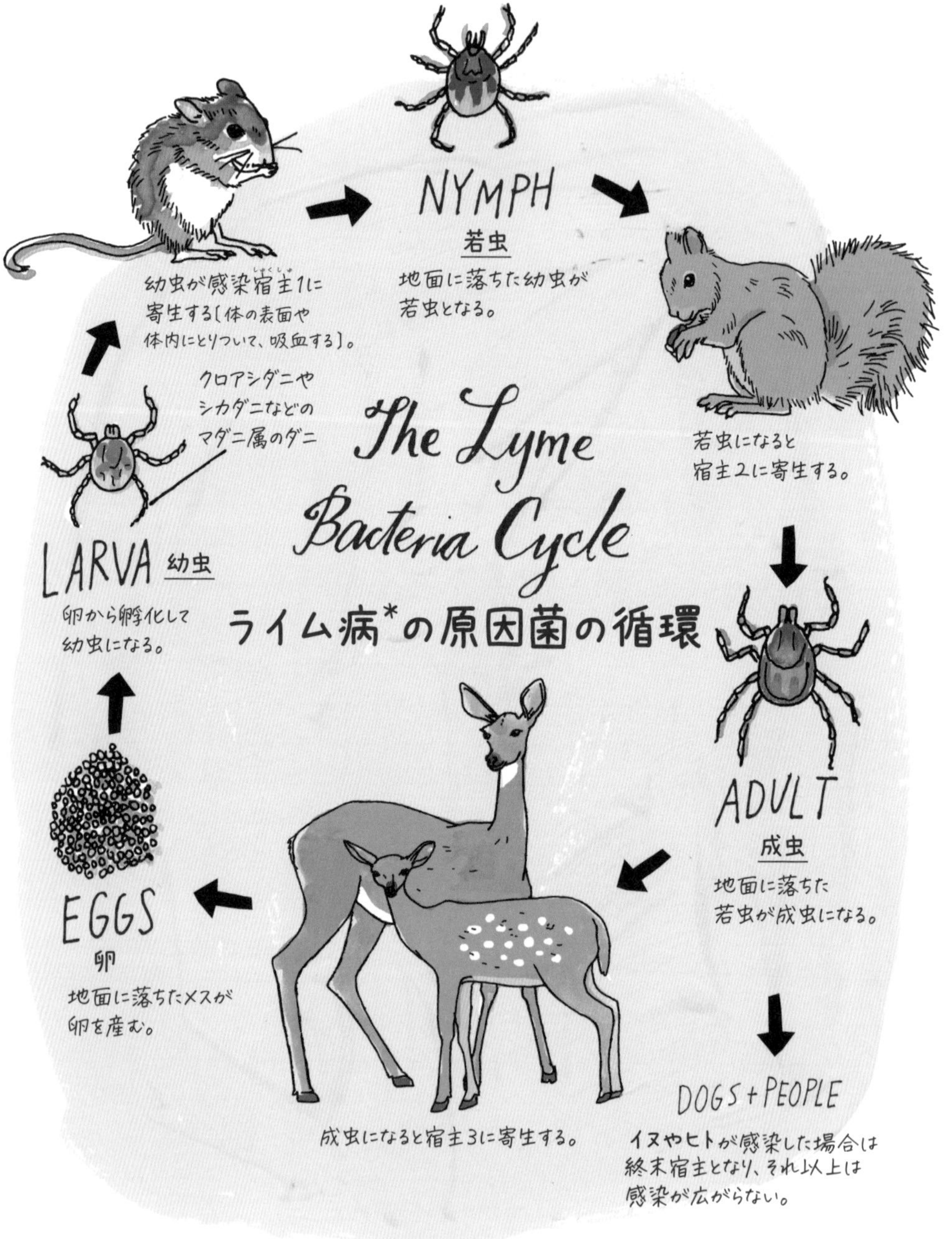

*ライム病は病原体を保有するマダニによって媒介される感染症。アメリカで多く、日本では比較的少ない。3宿主性のダニは、幼虫、若虫、成虫という3段階の発育期ごとに、寄生する動物を替えていく。

アメリカグマ

Black Bear

- 体重約45～272kg
- 立ち耳
- 肩は平ら
- 尻の位置が肩よりも高い
- 丸っこい体型

VS.

ハイイログマ
（別名：グリズリー）

Grizzly Bear

- 体重約136～362kg
- 丸くて短い耳
- 肩に大きなコブがある
- 尻の位置が肩よりも低い
- でこぼこした体型

THE ANIMAL UNDERGROUND
地中で暮らす生き物

Bushy-Tailed Woodrat

フサオウッドラット

このネズミは光るものが大好きで、ボトルキャップやコインやアルミホイルのかけらなどをひろってくることもある。

Plains Pocket Gopher

ヘイチホリネズミ

地中で暮らすこのネズミの顔の両側には、食べ物を入れて運ぶための大きな頬袋《ほおぶくろ》がある。門歯《もんし》〔長くて鋭い前歯〕が巨大で、口を閉じていても見えてしまう。

Badger

アナグマ

穴掘りがものすごく上手で、危険を察知したとたん、あっという間に穴を掘って身を隠す。

Eastern Chipmunk

トウブシマリス

大きくふくらむ頬袋に食べ物をいっぱい詰めこんで、巣にもち帰って蓄える。シマリスが地面の下に掘る巣にはいくつもの部屋があり、寝室、食料庫、トイレ、子ども部屋など、機能別に分かれている。

Least Chipmunk

チビシマリス

北米のシマリスのなかでいちばん小さく、もっとも広い範囲に生息している。このシマリスは冬眠しないが、長時間にわたって生理的活動を低下させる休眠状態に入る〔トウブシマリスは冬眠する〕。

SNAKES
ヘビ

GARTER
ガーターヘビ
COTTONMOUTH
ヌママムシ
COPPERHEAD
アメリカマムシ
MUD SNAKE
ヒムネドロヘビ
SCARLET SNAKE
スカーレットヘビ
WESTERN RATTLESNAKE
オレゴンガラガラヘビ
毒ヘビ

LIZARDS
トカゲとその仲間たち

WILD CATS
野生のネコ

Mountain Lion

ピューマ

ピューマ〔ネコ科ピューマ属〕はライオン〔ネコ科ヒョウ属〕よりもイエネコに近く、カナダ北部から南米の南部にかけて生息している。

Lynx

オオヤマネコ

オオヤマネコの手足は人間の手のひらよりも大きい。冬には体が長い毛で覆われるため、雪深いところでも活動できる。耳の先に羽角《うがく》と呼ばれる飾り毛がある。

Bobcat

ボブキャット

尾が切り尾（ボブ）のように短いことから、ボブキャットという名前がついた。北のほうに生息するオオヤマネコと性質が似ているが、オオヤマネコよりも体が小さく、羽角はない。

WILD DOGS
野生のイヌ
〔いずれもイヌ科の動物たち〕

Red Fox

アカギツネ

キツネは顔だけでなく脚にもヒゲが生えていて、平衡感覚を保つのに役立っている。

Coyote

コヨーテ

コヨーテはふつうに吠えるだけでなく、遠吠えをしたり、うなったり、甲高い声でキーッと鳴いたりするなど、さまざまな鳴き声を使い分けて仲間とコミュニケーションをとる。

Gray Wolf

ハイイロオオカミ

オオカミの群れ〔ウルフパック〕は、最上位〔アルファ〕のオスとメスのあいだに生まれた子どもたちを、群れの全員で育てる。

ANIMALS WITH ANTLERS

枝角《えだつの》（アントラー）のある動物

たいていオスのシカだけに生える枝角は軟骨でできており、やがて骨組織に置き換わるまでは1日に約2.5cmも成長する。枝角は毎年生え変わり、3月ごろに根元から落ちる。

Elk

エルク
〔ユーラシア大陸のヘラジカ〕

吠えたり、甲高い声で鳴いたり、キーキー鳴いたりするなど、いろいろな鳴き声で仲間とコミュニケーションをとる。発情期になると、オスは独特の甲高いさかり声を出す。

Caribou

カリブー

カリブーは枝角で雪を掘ることが知られている。カリブーのなかに角が生えているメスもいるのは、そのためかもしれない。

...AND HORNS
一生伸び続ける角をもつ動物

角(ホーン)は、骨の核がケラチン〔タンパク質の一種〕で覆われたもので、一生伸び続ける。オスにもメスにも生え、角輪《かくりん》の数によって年齢がわかる。

Bighorn Sheep

オオツノヒツジ

曲がった立派な角は重さ約14kg以上になることもある。

Pronghorn Antelope

エダツノレイヨウ

南北アメリカ大陸でもっとも足の速い陸上哺乳類で、時速約88kmを超えることもある。

AQUATIC MAMMALS
水生哺乳類

Moose

ムース〔北米のヘラジカ〕

ムースたちは自分の身を危険にさらしても子どもを守ろうとする。北のほうの池や沼地で水生植物を食べている姿がよく見かけられる。

毎年、オスの枝角は冬になると落ち、春になるとまた生えてくる。体の成長に合わせて、角は生え変わるたびに少しずつ大きくなる。

Muskrat

マスクラット

マスクラットの尾は毛ではなくウロコで覆われていて、泳ぐときに役立つ。

River Otter

カワウソ

水が大好きで遊び好きのカワウソたちは、水中に潜って魚をとるときは耳を閉じる。

Mink

ミンク

陸上にも水中にも適応できるミンクは、魚、ウサギ、マスクラット、爬《は》虫《ちゅう》類などを食べる。挑発されると、悪臭のする分泌液を噴射する。

Beaver Dam

ビーバーが作るダム

ビーバーは渓流や河川のなかにダムや大きな巣（ロッジ）を作り、周囲の自然環境を一変させる。夜行性の大型齧《げっ》歯《し》類《るい》で、歯とあごの強い力で大木を切り倒し、水のなかへ引きずりこんで、しっかりと固定することができる。ビーバーがダムを作ることによって池ができ、川の生態系が豊かになり、流域の土地の洪水リスクが低減する効果が確認されている。

ビーバーは自分たちの生活のために周囲の自然環境を作り変える、ヒト以外の唯一の動物。

Beaver Lodge

ビーバーの巣（ロッジ）

ビーバーの巣（ロッジ）は、大量の泥や木の枝などを使って作られる。巣の出入口は水中にあるため天敵から守られ、保温性が高く、冬を越したり繁殖や子育てをしたりするのに役立つ。

危険を感じると、ビーバーは幅の広い尻尾で水面をたたいて大きな音を立て、仲間たちに警戒を呼びかける。

SALAMANDERS
サンショウウオ類

「サンショウウオ」とは、成体になっても尾がある有《ゆう》尾《び》目《もく》の両生類のグループの総称〔ちなみに、カエルは無《む》尾《び》目《もく》の両生類で、オタマジャクシには尾があるが、成体になると尾はなくなる〕。サンショウウオの成体のほとんどには肺もエラもなく、皮膚や口のなかの透水性膜によって呼吸をする。

HELLBENDER
アメリカオオサンショウウオ（ヘルベンダー）

皮膚にしわやひだが多く表面積が大きいため、水中から多くの酸素を吸収することができる。

TIGER SALAMANDER
トラフサンショウウオ

体にトラのような模様があり、足の裏に二つずつ突起がある。

LESSER SIREN
レッサーサイレン

成体になっても外《そと》エラが消失しない。

SLIMY SALAMANDER
ヌメサンショウウオ

いやな味のする粘液を分泌して、天敵の攻撃を防ぐ。

RED SALAMANDER
アカサンショウウオ

あざやかな赤色は、成体になると赤みがかった暗い茶色になる。

EASTERN NEWT
ブチイモリ

手足や眼、あご、内臓などを失ったり損傷したりしても、再生することができる。

TURTLES
カメ類

カメの背中の甲羅は脊椎《せきつい》を中心に肋骨《ろっこつ》の幅が広がって隣同士がつながり板状になったもの。

SNAPPING TURTLE
カミツキガメ

甲羅のなかに首を完全に引っこめることができない。

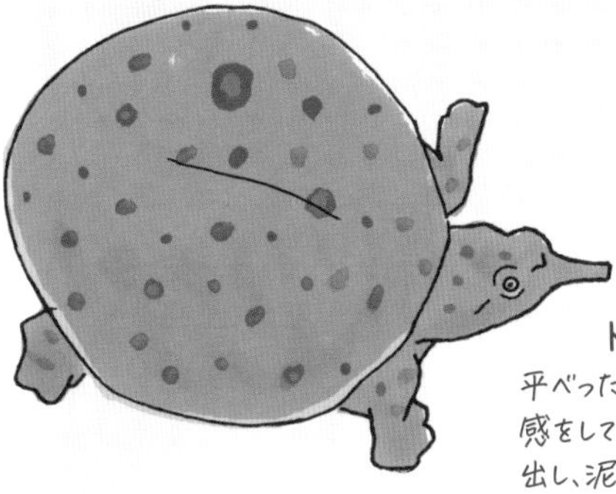

SPINY SOFT TURTLE
トゲスッポン

平べったい甲羅は、革のような質感をしている。とがった鼻を突き出し、泥に埋もれて生息している。

WOOD TURTLE
モリイシガメ

軟体《なんたい》動物や小動物、植物などを食べる。

DIAMONDBACK TERRAPIN
キスイガメ

メスはオスの2倍の大きさに成長することもある。

PAINTED TURTLE
ニシキガメ

社会性があって群生するため、丸太の上に何匹も重なり合うようにして、甲羅干し〔太陽の光を浴びて体温を上げ、体を清潔に保つのが目的〕をしていることがある。

OUTSTANDING ADAPTATIONS
ずば抜けた適応力

Short-tailed Shrew

トガリネズミ

世界でもっとも小さい哺乳類のひとつ。唾液に毒があり、獲物を麻痺させたり、自分の身を守ったりするのに役立つ。

Snowshoe Hare

カンジキウサギ

季節によって毛の色が変わるウサギで、夏毛は純白で冬毛は茶色。足の裏までびっしりと毛が生えており、雪の上でも寒さを感じずに動けるため、「カンジキ」〔雪の上を歩くとき、深く踏みこまないように靴の下に着用する道具〕という名前がついた。

Porcupine

ヤマアラシ

先端がトゲのようになった3万本もの針毛は、体毛が変化したもの。

Wolverine

クズリ

別名ウルヴァリン。イタチ科で最大のクズリは非常に獰猛《どうもう》で、自分よりはるかに体の大きな動物も倒してしまう。極北〔北極に近いところ〕原産のため、雪に覆われた荒れ地だろうが、長距離だろうが、すごい速さで移動することができる。

Bison

バイソン

天敵が襲ってくると、バイソンたちは輪になってかよわい子どもたちを囲んで守り、鋭い角やたくましい肩を敵に見せつける。

MARINE MAMMALS
海の哺乳類

Northern Elephant Seal《キタゾウアザラシ》

深海に潜るのが得意で、最長で2時間も潜り続けることができる。オスは体長約6mに成長しハーレム〔1頭のオスと多数のメスからなる群れ〕を守ろうとして、オス同士が激しく戦うこともある。交尾期のオスは、長い鼻から雄叫びを上げる。

Northern Fur Seal キタオットセイ

細かい下毛が密に生えた毛皮のおかげで、厳寒の北の大地でも暖かく過ごすことができる。繁殖地〔子どもを産んで育てるための場所〕を獲得するために、オス同士で戦う。繁殖地を手に入れたオスは、繁殖期が終わるまで長期間絶食する。

California Sea Lion《カリフォルニアアシカ》

このアシカはとても陽気で、水中から跳びはねたり、まるでサーファーのように波乗りをしたりする姿がよく見られる。夜間に魚や軟体動物を食べる。

Manatee マナティー

冬になると、発電所から排出される温水を求めて集まってくる。動くのが遅い哺乳類だが、唇を器用に使って海底の海藻や水生植物を食べる。

Harbor Seal ゼニガタアザラシ

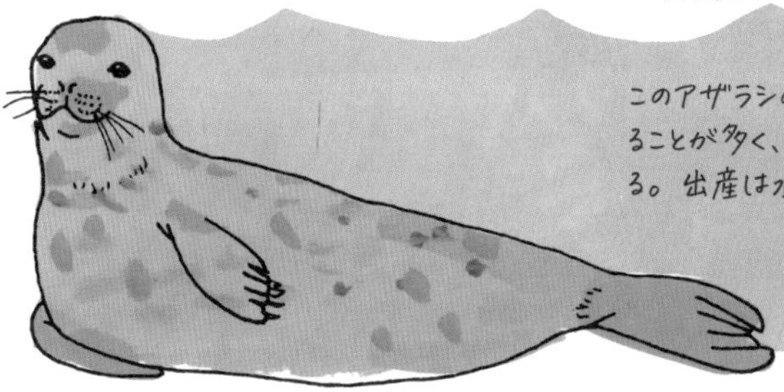

このアザラシの群れは海岸で日光浴をしていることが多く、陸上でも海のなかでも交尾をする。出産は水中で行う。

Sea Otter ラッコ

もっとも小さい海洋哺乳類で、ほとんどの時間を海のなかで過ごす。あお向けで水に浮き、お腹の上にかかえた石に貝をぶつけ、たたき割って中身を食べる〔ラッコの脇腹のポケットには、お気に入りの石が入っている〕。

ハンドウイルカ

Bottlenose Dolphin

社会性の高い哺乳動物。エコーロケーション〔反響定位。動物が音や超音波を発し、その反響によって物体の距離や方向や大きさなどを知ること〕によって、イカや小型の魚などエサとなる生き物の位置をつきとめる。ボディランゲージや、口や噴気孔《ふんきこう》から出るクリック音やホイッスル音を使って、仲間とコミュニケーションをとる。知能が高く、人間とも積極的に交流する。最近の研究では、イルカは世代を超えて文化的知識を伝達することもわかっている。

シャチ

Orca

群れで狩りをするのが得意なシャチは、魚たちをつかまえやすい狭い入り江に追いこむ。自分たちより何倍も体が大きいクジラも、群れで追いつめてかみつき、しとめてしまう。

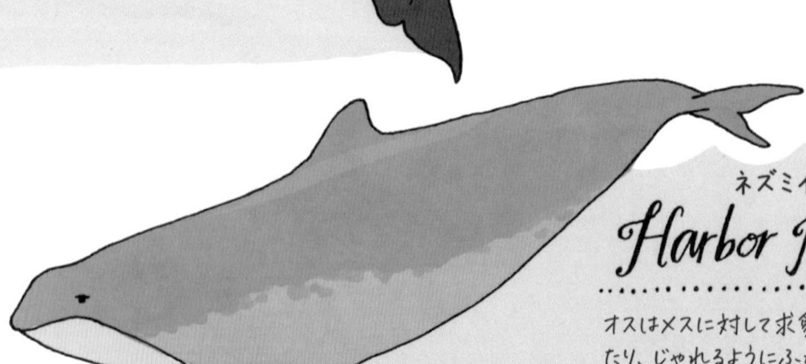

ネズミイルカ

Harbor Porpoise

オスはメスに対して求愛の鳴き声を上げたり、じゃれるようにふれ合ったりする。

Sperm whale《マッコウクジラ》

『白鯨』〔ハーマン・メルヴィル著の長編小説〕で有名なマッコウクジラは、イカを求めて水深約1000mの深海に潜ることができる。歯のある動物としては世界最大。

Gray whale《コククジラ》

生まれたときから体重約500kg、体長約4.6mと非常に大きい。コククジラの子どもは、毎日約760～1140ℓの高脂肪乳を飲む。

Humpback whale《ザトウクジラ》

夏は極地のエサ場にいるが、冬は温暖な海で繁殖や子育てをするために、集団で約8000kmの長距離移動をする。冬のあいだは絶食し、自分の体に蓄えた脂肪によって生き延びる。

CHAPTER 6

A Little Bird Told Me

鳥たちのはなし

ANATOMY OF A BIRD

鳥の体の構造

1. crown 頭頂《とうちょう》
2. nape 後頸《こうけい》
3. back 背
4. wing bar 翼帯《よくたい》
5. rump 腰
6. tail 尾
7. flank 脇
8. tarsus 跗蹠《ふしょ》
9. side 体側
10. breast 胸
11. throat 喉
12. chin 腮《さい》〔あご〕
13. bill くちばし
14. lore 眼先
（眼とくちばしのあいだ）
15. ear patch 耳羽《じう》
〔鳥の耳を覆っている羽〕

A BEVY OF BIRDS
色とりどりの小鳥たち

RED-WINGED BLACKBIRD
ハゴロモガラス

オスだけ翼の付け根あたりに赤い羽根が生えている〔和名では「カラス」というがカラスの仲間ではなく、スズメ目ムクドリモドキ科の鳥〕。

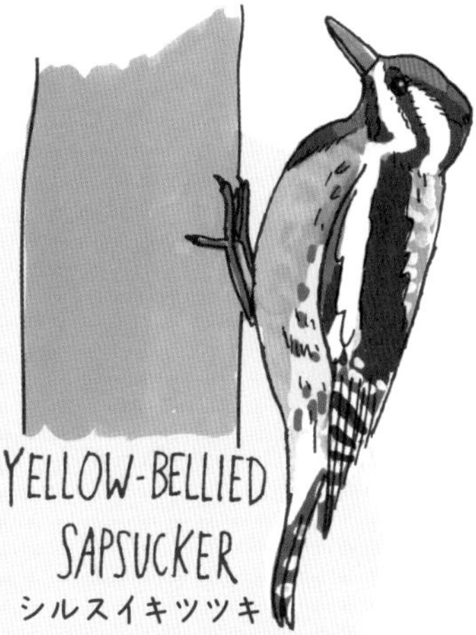

YELLOW-BELLIED SAPSUCKER
シルスイキツツキ

この鳥の食べ物の5分の1は樹液で、木の幹をつついて小さな穴を開けて吸う〔ほかにアリやクモ、果実などを食べる〕。

SAY'S PHOEBE
チャイロツキヒメハエトリ

橋げたや峡谷の岩壁、岩のすきまなどに、カップ形の巣を作る。

VERDIN
アメリカツリスガラ

砂漠に生息するこの鳥は、無数の小枝を使って球形の巣を作る。

RUBY-THROATED HUMMINGBIRD
ノドアカハチドリ

冬を越すため中米に渡るとき、途中で休まずにメキシコ湾を一気に飛んでいくこともある。

キノドアメリカムシクイ
YELLOW-THROATED WARBLER

沼地や松林の木の高いところに巣を作る愛らしい鳥で、わりと人なつこい。

アカフウキンチョウ
SCARLET TANAGER

オークの木に巣を作るこの鳥は、木に害を与える毛虫や甲虫類などの昆虫を食べることで、木の役に立っている。オスは赤く、メスは黄色っぽい。

クロボシアメリカムシクイ
CANADA WARBLER

美しい鳴き声でさえずる小鳥で、朽ちた丸太など、地面に近いところに巣を作る。

MOUNTAIN CHICKADEE
マミジロコガラ

コガラのつがいは、森の何種類もの小鳥からなる群れに加わることがある。

CEDAR WAXWING

ヒメレンジャク

群れの鳥たちが枝の上に一列に並び、全員がベリーを食べられるようにくちばしからくちばしへと渡していくことがある。

FLORIDA SCRUB JAY

フロリダカケス

カケスのひな鳥たちは羽が生えそろったあともしばらく親鳥たちのそばに残り、自分たちのあとに孵化したひな鳥たちにエサを与えるなど世話をして、家族で助け合う。

WHITE-BREASTED NUTHATCH

ムナジロゴジュウカラ

頭を下向きにして降下できる数少ない鳥のひとつ。

SCISSOR-TAILED FLYCATCHER

エンビタイランチョウ

オスは求愛のため、曲芸のような宙返りを何度もしてみせる。

BELTED KINGFISHER

アメリカヤマセミ

けたたましい鳴き声を上げながら湖や川へ頭から飛びこんでいき、魚をつかまえる。

CLARK'S NUTCRACKER

ハイイロホシガラス

この鳥の舌の下側にはポケットがあり、主食である松の実（マツの種子）を150個も入れることができる。

BROWN-CAPPED ROSY FINCH

チャボウシハギマシコ

この鳥を含むスズメ目アトリ科の鳥（フィンチ）は、羽ばたきながらときおり羽を閉じて急降下する「バウンシング」という飛び方をする。

HOODED ORIOLE

ムナグロムクドリモドキ

ムクドリモドキは木の枝先に、袋形の精巧な巣を作ってぶら下げる。

GREAT CRESTED FLYCATCHER

オオヒタキモドキ

ヒタキ科の鳥たちは巣の内側によくヘビの皮を張るが、ビニール袋の切れ端を使うこともある。

BLACK-AND-WHITE WARBLER

シロクロアメリカムシクイ

繁殖期のオスの羽色はメスよりもずっと派手になるが、秋にはまた地味な色に戻る。

ムジルリツグミ

MOUNTAIN BLUEBIRD

警戒心の強いルリツグミは、人間が巣に近づいただけでさっと巣に隠れてしまう。

CACTUS WREN

サボテンミソサザイ

サボテンの木のすきまに巣を作る。おもに昆虫を食べるが、種子、果実、小型の爬虫類なども食べて必要な水分を摂取している。

STELLER'S JAY

ステラーカケス

北米でもっとも大きいカケスで、鳴き声もいちばんやかましく「ジェー！ ジェー！ ジェー！」と大声で鳴く。

GILA WOODPECKER

サバクシマセゲラ

この鳥はサボテンに穴を開けて巣を作る。鳥が去ったあとは、ネズミやヘビなどほかの生き物たちの巣となる。

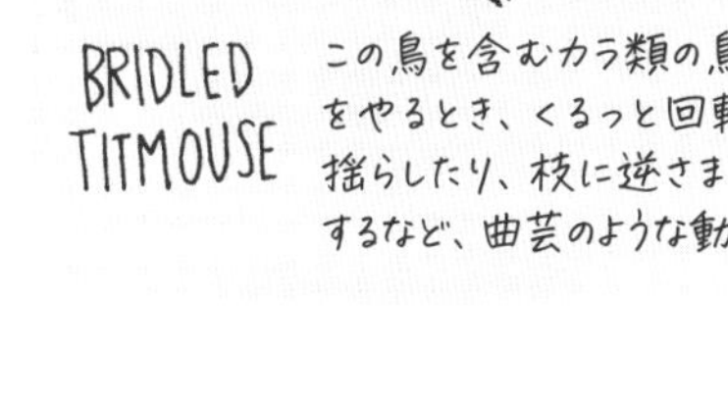

シロガオエボシガラ

BRIDLED TITMOUSE

この鳥を含むカラ類の鳥はひな鳥にエサをやるとき、くるっと回転したり木の枝を揺らしたり、枝に逆さまにぶら下がったりするなど、曲芸のような動きをすることがある。

Kinds of Feathers

羽根の種類

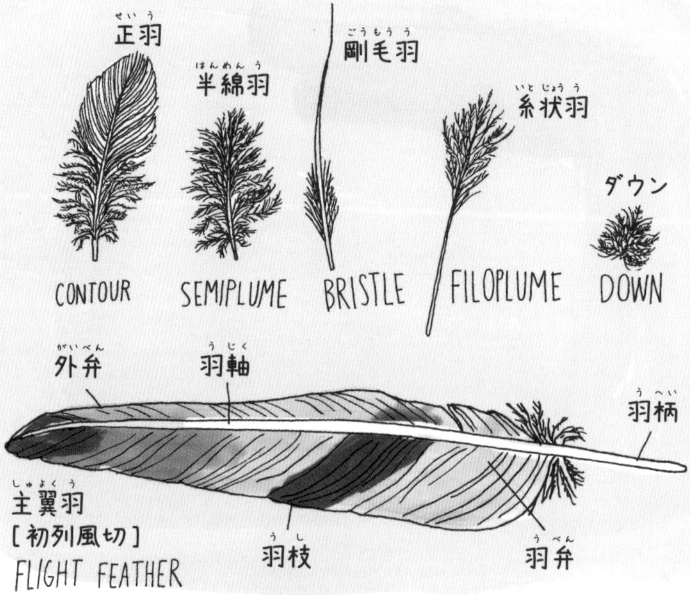

Feathers on a Bird

羽根の名称

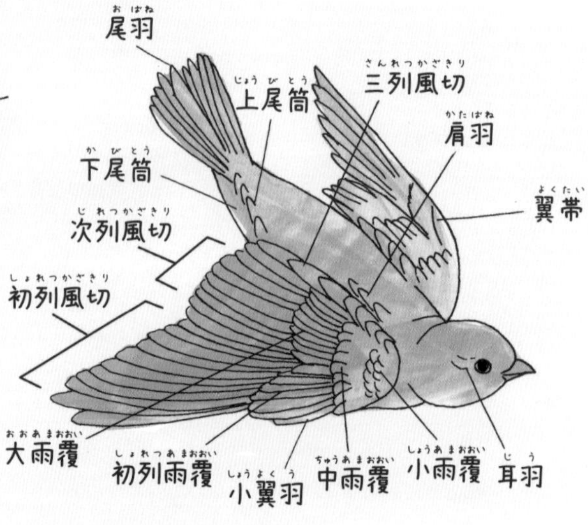

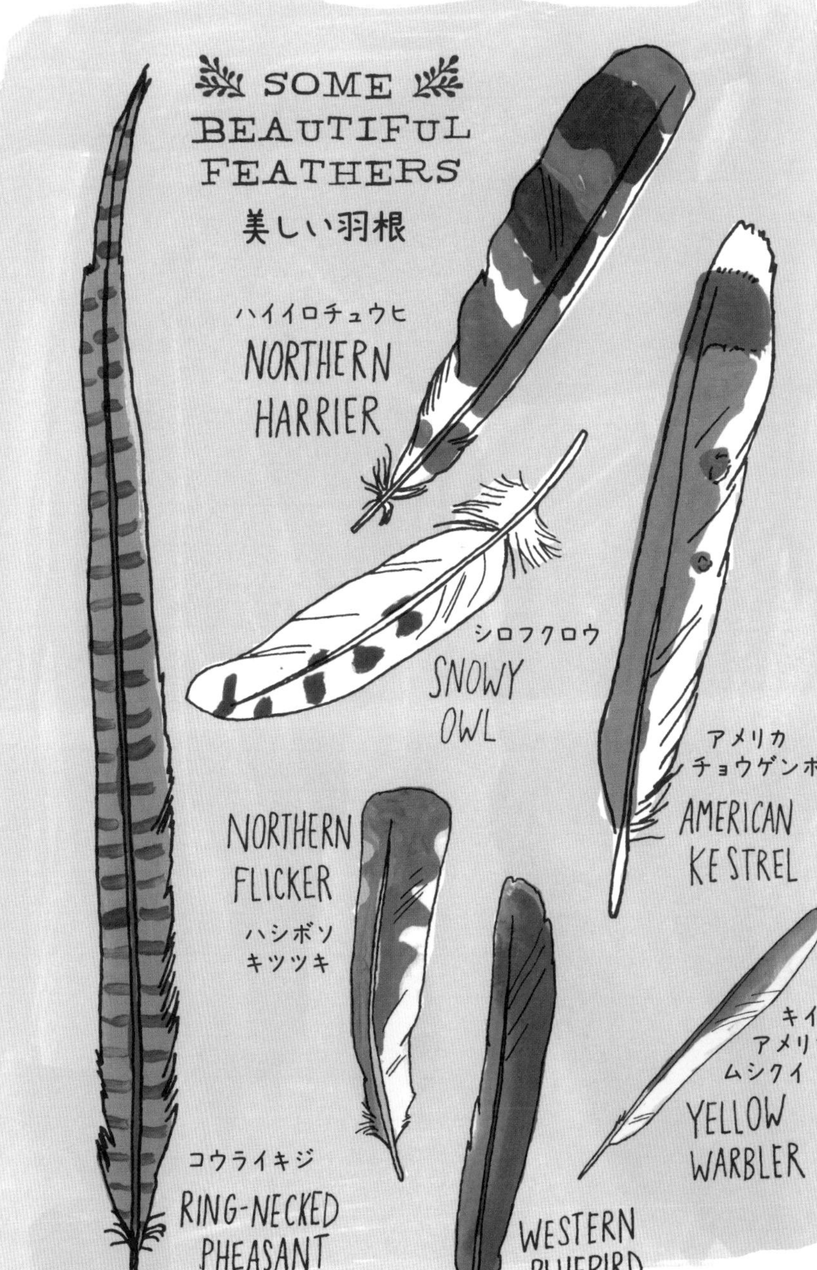
SOME BEAUTIFUL FEATHERS
美しい羽根
ハイイロチュウヒ
NORTHERN HARRIER
シロフクロウ
SNOWY OWL
アメリカチョウゲンボウ
AMERICAN KESTREL
NORTHERN FLICKER
ハシボソキツツキ
キイロアメリカムシクイ
YELLOW WARBLER
コウライキジ
RING-NECKED PHEASANT
WESTERN BLUEBIRD
チャカタルリツグミ

BIRDCALLS

面白い鳴き声

同じ種類の鳴禽類《めいきんるい》〔スズメ目スズメ亜目の鳥の総称。よい声でさえずる〕の鳥たちでも、鳴き声がみんな同じとはかぎらない。
地理的に孤立した地域の鳥たちは独特な鳴き声を発するようになり、やがて「方言」のように定着する場合がある。

〔ジャーマニーは英語で「ドイツ」の意味。〕

鳥たちは最初から上手にさえずることができるわけではなく、練習してうまくなる。生まれつき出せる音もいくつかあるが、若い鳥はまわりの年上の鳥たちのさえずりを聴きながら鳴き方を覚えていく。

若い鳥たちは上手にさえずることを夢見ながら最初の冬を過ごす（実際、眠っているあいだに「練習」していることが研究でわかっている）。やがて春になると、鳴き声を出してさえずるようになる。ほとんどの鳥たちは毎年同じ場所に戻ってくるため、地域によって異なる独特のさえずりが生まれる。

A VARIETY OF NESTS
さまざまな鳥の巣

SNOWY EGRET

ユキコサギ

木の枝や小枝を使って、
木の上に巣を作る。
内《うち》張《ば》りはわりと薄い。

HOUSE WREN

イエミソサザイ

木の枝や小枝で椀形の巣を作り、
羽毛や動物の毛、繭《まゆ》、コケなど
さまざまな素材を使って内張りをする。

SONG SPARROW

ウタスズメ

枯れ草や雑草、樹皮のかけらなどで
カップ形の巣を作り、草を使って
薄い内張りをする。

ANNA'S HUMMINGBIRD

アンナハチドリ

植物の茎や軟毛でカップ形の巣を作って
クモの巣で補強し、内張り
には植物の軟毛や鳥の羽毛を使う。
巣の外側の地衣類やコケが、
まるで飾り模様のよう。

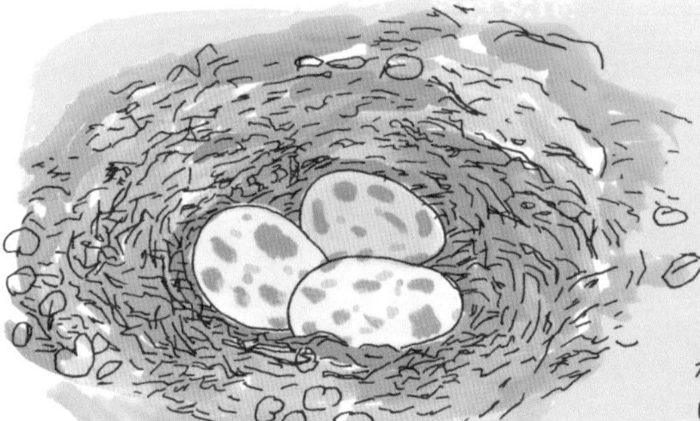

GREATER BLACK-BACKED GULL

オオカモメ

枯れ草やコケ、海藻、羽毛などを
しきつめて巣を作る。

MALLARD DUCK

マガモ

くぼんだ形の巣で、枝や羽毛、
枯れ草、葉っぱなどでできている。

BARN SWALLOW

ツバメ

泥の塊や植物の繊維で作られた
カップ形の巣に、羽毛で内張りをする。
巣は洞窟の内部や、軒下《のきした》の垂木《たるき》部分
に作られる。

VERDIN

アメリカツリスガラ

球形の巣の外側はトゲの生えた小枝で
覆われている。
内張りにはクモの巣や細かい草を
使い、その上に羽毛や植物の軟毛を
分厚く重ねてある。

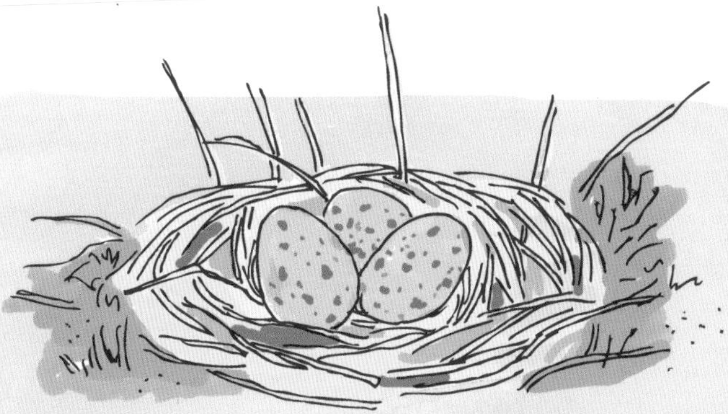

LAUGHING GULL

ワライカモメ

ビーチグラス〔イネ科の多年草〕の茂みに巣を作ったり、
砂浜に浅い穴を掘って巣を作ったりする。
内張りには草や小枝を用いる。

ROBIN

ヨーロッパコマドリ

小枝や枯れ葉、植物の細い根や葉、
ぼろきれ、がらくたなどを使って巣を作り、
泥や草で内張りをする。

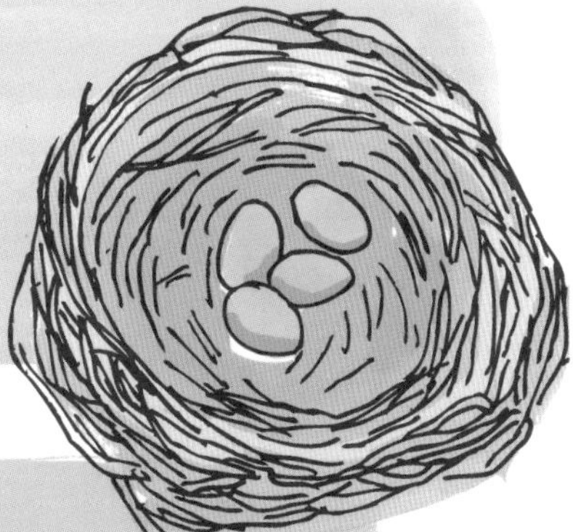

YELLOW WARBLER

キイロアメリカムシクイ

木の枝分かれした部分に、植物の茎や羊毛、
植物の軟毛などでカップ形の巣を作る。
内張りには、植物の繊維や綿、羽毛を使う。

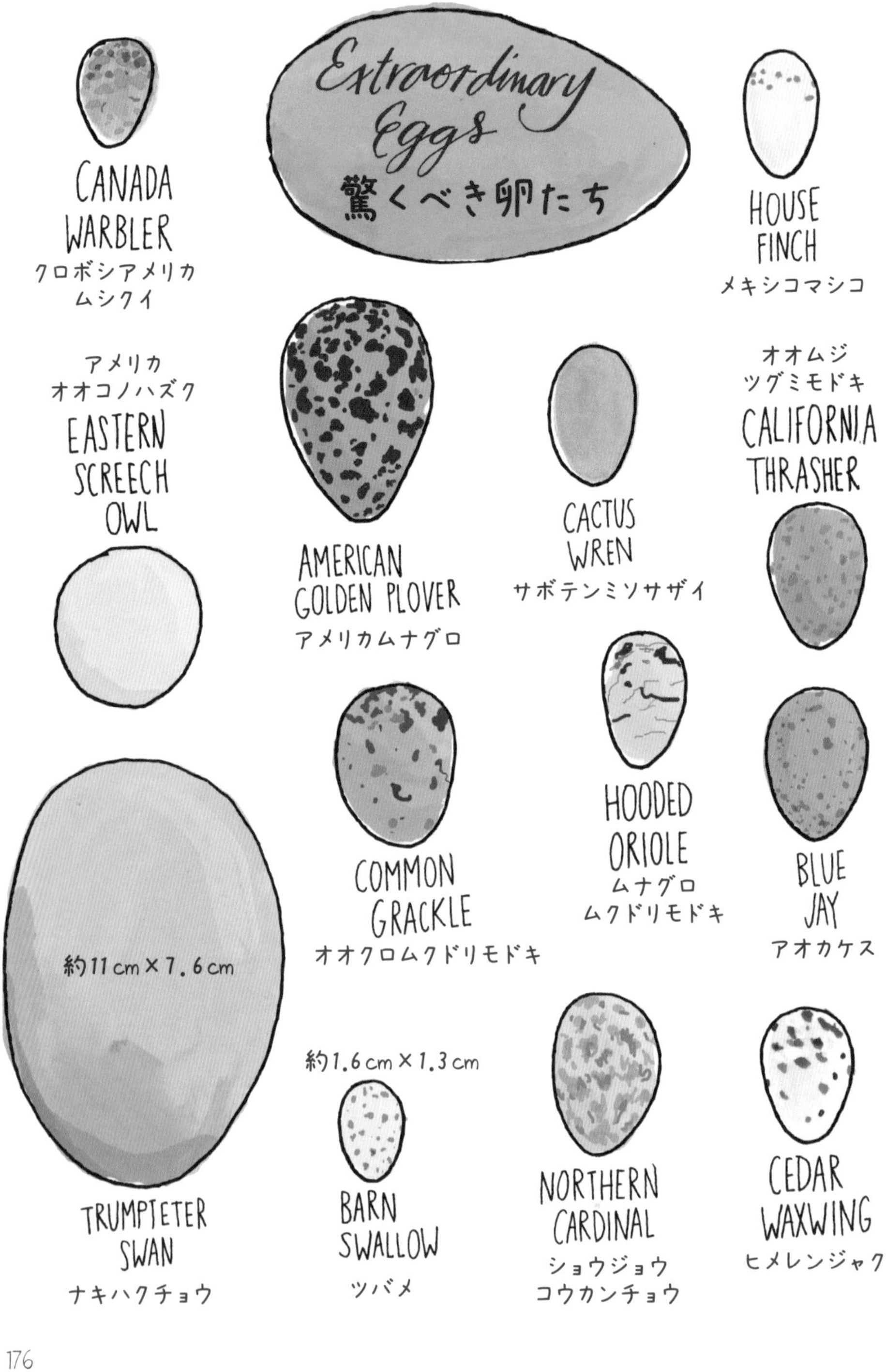
Extraordinary Eggs
驚くべき卵たち
CANADA WARBLER
クロボシアメリカムシクイ
HOUSE FINCH
メキシコマシコ
アメリカオオコノハズク
EASTERN SCREECH OWL
AMERICAN GOLDEN PLOVER
アメリカムナグロ
CACTUS WREN
サボテンミソサザイ
オオムジツグミモドキ
CALIFORNIA THRASHER
COMMON GRACKLE
オオクロムクドリモドキ
HOODED ORIOLE
ムナグロムクドリモドキ
BLUE JAY
アオカケス
約11cm×7.6cm
TRUMPTETER SWAN
ナキハクチョウ
約1.6cm×1.3cm
BARN SWALLOW
ツバメ
NORTHERN CARDINAL
ショウジョウコウカンチョウ
CEDAR WAXWING
ヒメレンジャク

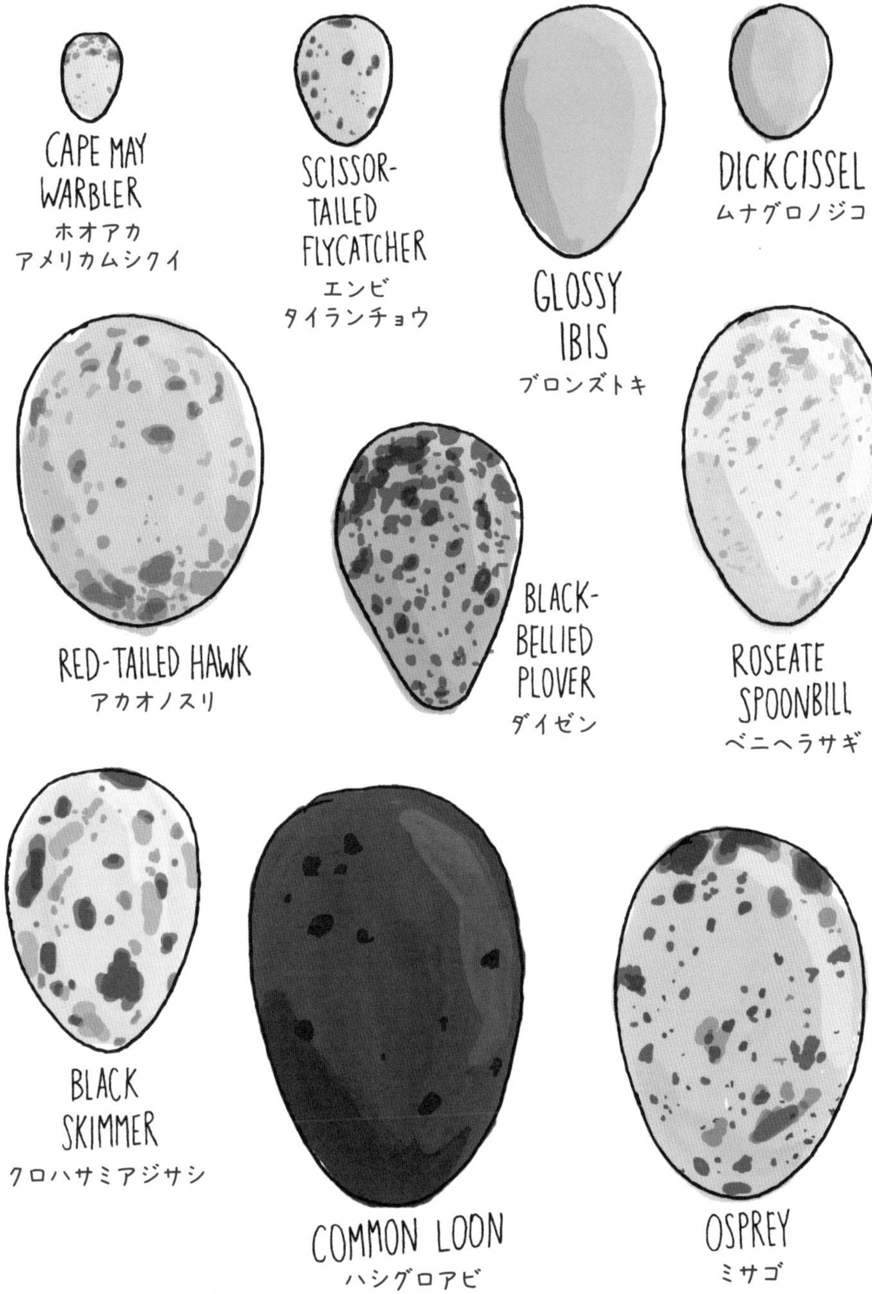
CAPE MAY WARBLER
ホオアカアメリカムシクイ
SCISSOR-TAILED FLYCATCHER
エンビタイランチョウ
GLOSSY IBIS
ブロンズトキ
DICKCISSEL
ムナグロノジコ
RED-TAILED HAWK
アカオノスリ
BLACK-BELLIED PLOVER
ダイゼン
ROSEATE SPOONBILL
ベニヘラサギ
BLACK SKIMMER
クロハサミアジサシ
COMMON LOON
ハシグロアビ
OSPREY
ミサゴ

INTRIGUING BIRD BEHAVIOR

鳥たちの興味深い行動

Courting

求愛

ほとんどの鳥たちは春に繁殖期を迎える。オスは独特のさえずりやダンス、アクロバティックな飛び方を披露して、メスに求愛する。メスはそうした行動を見て、いかにも健康で活力のありそうなオスを選び、健康な子孫を残そうとする。

Mating

交尾

鳥のオスとメスの尻には、排泄や生殖に使われる総排泄腔《そうはいせつこう》と呼ばれるひとつの穴がある。メスの受け入れ準備が整うまで、オスは総排泄腔に精子を蓄える。交尾の際は、メスの背中にオスが乗ってバランスをとり、体を反らせて自分のお尻の穴をメスのお尻の穴にこすりつける。交尾は1～2秒で終わるが、繰り返されることが多い。

Preening
羽《は》づくろい

鳥たちが羽づくろいをするのは、羽毛の汚れを取り除いてきれいに整え、防水性を高めるため。ほとんどの鳥は、尾の付け根の尾脂腺《びしせん》から出る油をくちばしや頭や足を使ってすべての羽毛に塗り広げる。1日のうち数時間も羽づくろいをすることがある。

Bathing
水浴び・砂浴び

鳥たちは水浴びや砂浴びをすることで、羽毛についた寄生虫などを落とす。

Anting
蟻浴《ぎよく》

鳥たちのなかには、アリ塚のそばで羽を広げ、羽をアリにこすりつけたり、羽のなかにアリたちをはわせたりするものもいる。これは、アリの出す蟻酸《ぎさん》が羽について寄生虫を撃退できるため。

Using Tools
道具を使う

フィンチと呼ばれる鳥たち〔アトリ科の小鳥やスズメ目の多くの小鳥などを含む〕のなかには、カラスのように、小枝を使って丸太や木の幹の穴のなかにいる昆虫を集めるものもいる。さらにカラスのなかには、車が通る場所にわざと木の実を落として、木の実を割ることを覚えたものもいる。また、人間がアヒルにエサとして与えたパンの残りを使って、サギたちが魚をおびき寄せる姿が目撃されている。

BIRDS OF PREY

猛禽類《もうきんるい》

〔先の曲がった鋭いくちばしと鉤爪《かぎづめ》をもち、
小動物やほかの鳥などを捕食する〕

SHARP-SHINNED HAWK

アシボソハイタカ

ほかの鳥や小型哺乳類を食べる。

RED-TAILED HAWK

アカオノスリ
〔ノスリとは、トビよりもひと回り小さなタカのこと〕

空中、木の上のほうの枝、幹線道路の標識など高いところから小型哺乳類をねらってつかまえる。

BALD EAGLE

ハクトウワシ

木の枝や小枝を使って巨大な分厚い巣を作る。魚をつかまえるため、海や川、湖沼の近くに営巣することが多い。

PEREGRINE FALCON

ハヤブサ

時速400km超のスピードで水に飛びこんだ記録がある。

SWAINSON'S HAWK

アレチノスリ

地面にいる地リスやネズミ、バッタなどを捕食する。

GOLDEN EAGLE

イヌワシ

大型で勇猛なワシで、若いシカなどの大型哺乳類なども襲ってしとめてしまう。

NORTHERN HARRIER

ハイイロチュウヒ

沼地（マーシュ）で狩りをするため、マーシュホークとも呼ばれる。地上に巣を作る。

OSPREY

ミサゴ

〔英語名オスプレイ。米空軍輸送機の名はこの鳥に由来する〕

魚をとるのが非常にうまい。

AMERICAN KESTREL

アメリカチョウゲンボウ

小型哺乳類をねらって上空でホバリング〔空中で停止したように見える飛び方〕をしたあと、急降下してしとめる。

OWLS
フクロウ

フクロウの眼は大きいが、動かせない。そのかわり、首をぐるりと約270度も回すことができる。こんなに首を大きく回せる動物はほとんどいない。ほとんどのフクロウの顔はくぼんだ円盤形で、夜中に獲物たちが動き回る音を聞きつけるのに適している。

PYGMY OWL
スズメフクロウ

体長15cmほどの小さなフクロウ。常緑樹の穴のなかに巣を作る。

BURROWING OWL
アナホリフクロウ

地面に掘った大きな巣穴に羽毛や草木で内張りをする。

COMMON BARN OWL
メンフクロウ

真っ暗闇でも、音だけで獲物の位置をつきとめることができる。

EASTERN SCREECH OWL

アメリカオオコノハズク

小型のミミズクで、ぴょこんと突っ立った羽《う》角《かく》〔耳のように見える羽毛の束〕が特徴的。

GREAT HORNED OWL

アメリカワシミミズク

スカンクを食べるのはこのフクロウだけ。つがいのオスとメスが、鳴き声でハーモニーを奏でることもある。

SNOWY OWL

シロフクロウ

昼間も活発に動き回り、人間を恐れないことも多い。

巨大な鳥たち

BIG BIRDS

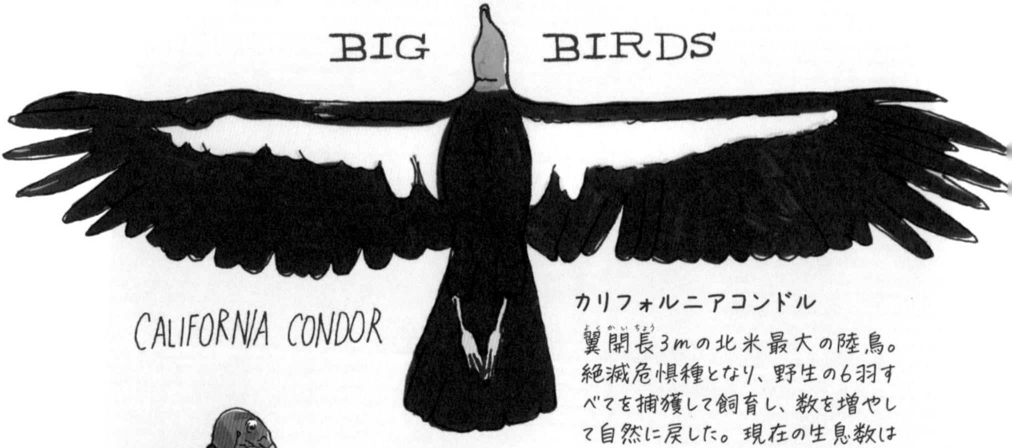

CALIFORNIA CONDOR

カリフォルニアコンドル

翼《よく》開《かい》長《ちょう》3mの北米最大の陸鳥。絶滅危惧種となり、野生の6羽すべてを捕獲して飼育し、数を増やして自然に戻した。現在の生息数は数百羽。

TURKEY VULTURE

ヒメコンドル

翼開長約1.8mの翼で滑空するのが得意。嗅覚が鋭く、おもに腐敗した動物の死骸を探して食べる。

WHOOPING CRANE

アメリカシロヅル

北米でもっとも背丈の高い鳥〔全長125〜160cm〕。オスはメスの気を引くため、大声で鳴きながらダンスをする。野生の個体数は500未満。

AMERICAN FLAMINGO

ベニイロフラミンゴ

寿命は40年ほど。羽がサンゴのような薄紅色をしているのは、ブラインシュリンプという甲殻類〔小さなエビやカニの仲間〕を食べているから。

A Variety of Beaks

いろいろな形のくちばし

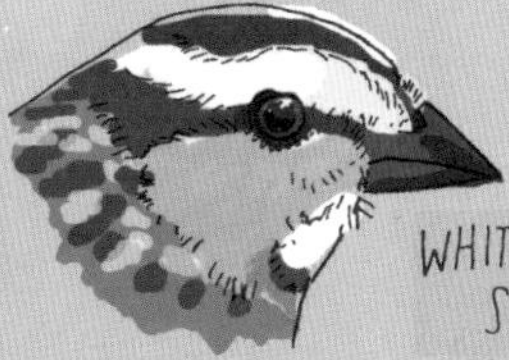

WHITE-THROATED SPARROW

ノドジロシトド

このような形のくちばしは、種子をくだいたり、樹皮をほじって隠れている昆虫たちを見つけたりするのにぴったり。

RINGED KINGFISHER

クビワヤマセミ

くさび形のくちばしのおかげで、水しぶきを立てずに潜水することができる。

MALLARD DUCK

マガモ

平べったいくちばしは、泳ぎながら水面でエサをとるのに適している。

BALD EAGLE

ハクトウワシ

先が鉤状に曲がっている鋭いくちばしを使って、獲物を切り裂く。

RED CROSSBILL

イスカ

こんな形のくちばしのおかげで、松ぼっくりの鱗片《りんぺん》〔ウロコのような部分〕をこじ開けて、松の実を食べることができる。

RUBY-THROATED HUMMINGBIRD

ノドアカハチドリ

細長いくちばしを花のなかに差しこんで、蜜を吸う。

SPOONBILL

ヘラサギ

くちばしの先がヘラのような形をしている。くちばしを半開きにしながら獲物を探し、見つけたらさっと閉じる。

WATER BIRDS
水鳥

ベニヘラサギ
ROSEATE SPOONBILL
オオアオサギ
GREAT BLUE HERON
オオホシハジロ
CANVASBACK
コブハクチョウ
MUTE SWAN
ウ
CORMORANT
サンカノゴイ
BITTERN

CHAPTER 7

Head above Water

水辺や水中の生き物

WATER BODIES
いろいろな水域

Ocean

大洋

地球の表面の約3分の2を覆っている広大な海〔太平洋、大西洋、インド洋を三大洋と呼ぶ〕。

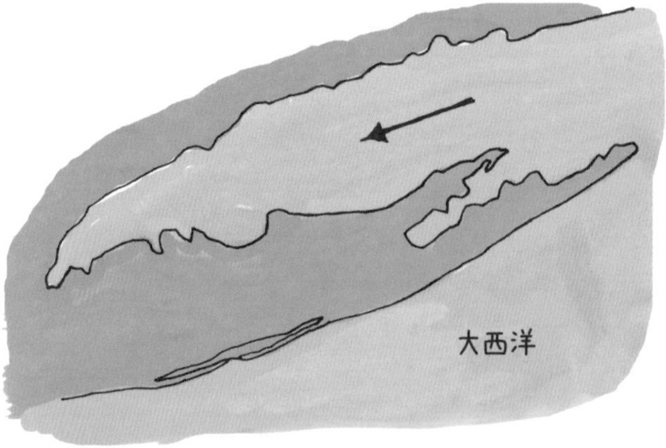

Sound

海峡

陸地に挟まれた水路となって、二つの海域をつなぐ海。

Sea

海

大洋よりも小さな海で、陸地に囲まれている場合もある。

Bay

湾

海が陸地に入りこんでいるところ。

Cove

入り江

小さな湾。

Tidal Pool

潮だまり

干潮《かんちょう》時〔潮が引いたとき〕、波打ち際の岩礁のすきまにできる海水の水たまり。

Pond

池

小さな止水《しすい》域〔水の動きの小さい水域〕。窪地などに水がたまったところ。小さいので波が立たず、水深が浅いため温度変化もあまり生じない。

Lake

湖

池よりも大きな止水域。

Marsh

沼地

湿生植物〔アシやガマなど〕が生い茂る湿地で、木は生えていない。

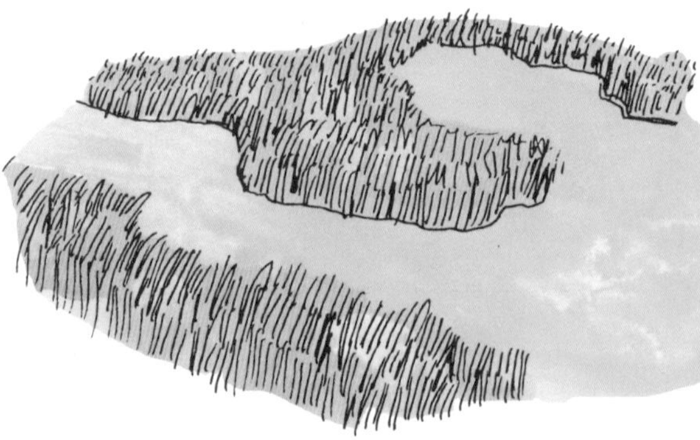

River

川

雨などの自然の水が集まり、陸地のくぼみに沿って流れていく水路。大きな川に合流したり、海へ流れ出たりする。

Stream

小川

小〜中規模の流水域で、両側に土手がある。

Brook

せせらぎ

浅瀬などの小さな水の流れ。

ECOSYSTEM OF A POND

池の生態系（エコシステム）

池の生態系に存在する豊かな生物は、「生産者」「消費者」「分解者」の3つのグループに分類することができる。

植物は池の主要な生産者で、太陽からエネルギーを受け取る。

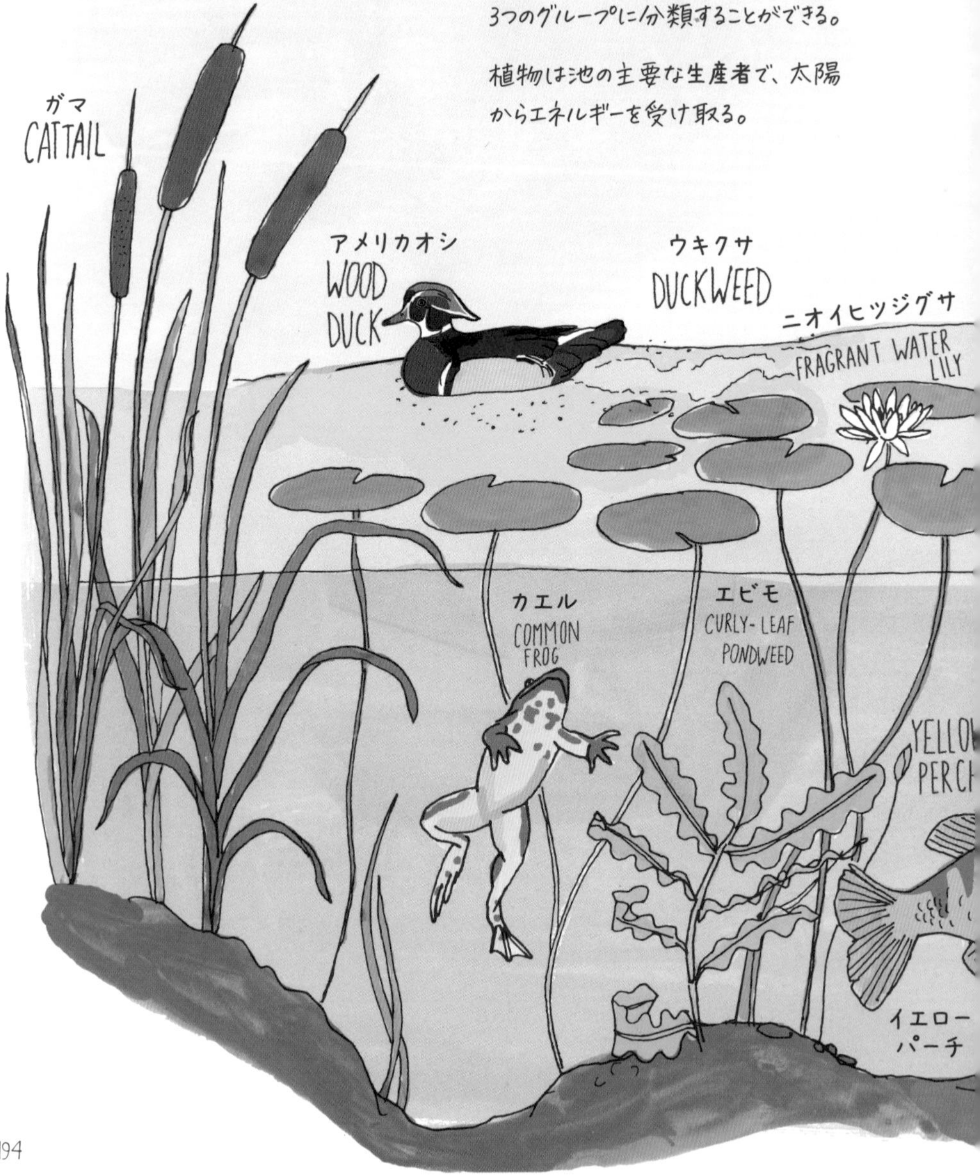

池の生物多様性と豊かさは、
水辺にいる多くの野生動物たちを
引き寄せる。
ダイサギ
GREAT EGRET
ラージリーフ
ポンドウィード
〔ヒルムシロ属の水生植物〕
LARGE-LEAF PONDWEED
シベリア
ホザキノフサモ
NORTHERN WATERMILFOIL
消費者は、植物や小動物をエサとする動物たち。
分解者はバクテリアや菌類で、動植物が腐敗してできた有機物を養分としている。池の底の泥のなかに生息していることが多い。

A FEW FRESHWATER FISH

淡水魚《たんすいぎょ》

〔塩分をほとんど含まない淡水にすむ魚〕

GREEN SUNFISH

グリーンサンフィッシュ

産卵床《とこ》を作って、必死に守る。

MUSKELLUNGE

アメリカカワカマス

大きな口のなかに、針のような鋭い歯がびっしり生えている。

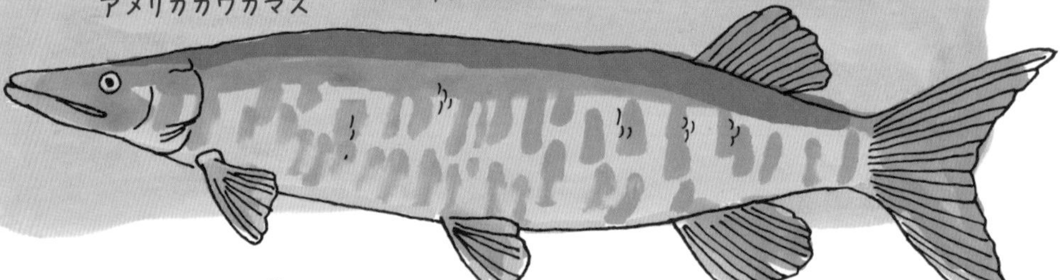

CHANNEL CATFISH

ブチナマズ

濁った水のなかで生息しているナマズやコイには、ヒゲや体の表面全体に味蕾《みらい》〔味を感じとる器官〕が存在し、エサとなる小魚を探すのに役立つ。

イエローパーチ

YELLOW PERCH

水辺の草むら付近に生息し、昆虫や
小さな魚を食べるが共食いもする。

LAKE TROUT

レイクトラウト

成長がゆっくりで、
低水温を好む
〔適水温4～10℃〕。

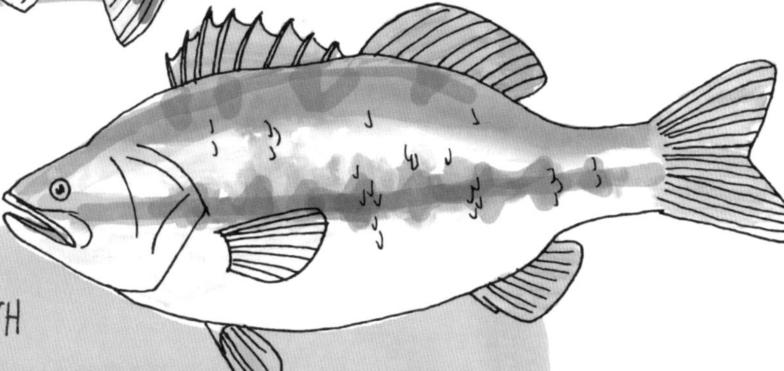

オオクチバス

LARGEMOUTH BASS

自分の体長の半分ほどもある
大きな獲物も食べてしまう。

Life Cycle of a Salmon

サケのライフサイクル

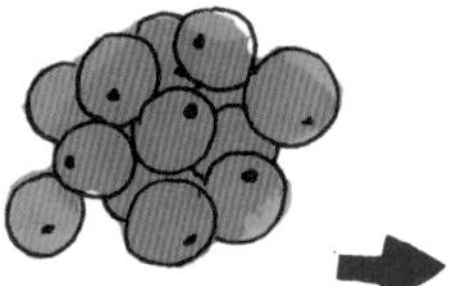

EGGS

卵

秋になると、河川では湧き水のある砂利の川床に、メスのサケが尾で産卵床というくぼみを作って産卵する。それと同時に、オスのサケが卵の上に放精《ほうせい》する〔精子をかける〕。

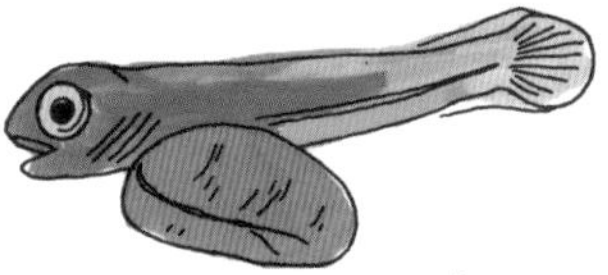

ALEVIN

仔魚《しぎょ》

6〜12週間後、卵が孵化して仔魚が姿を現す。数週間は砂利のなかに隠れたまま、腹部についた卵黄嚢《らんおうのう》から栄養をとる。

FRY

稚魚《ちぎょ》

卵黄嚢を食べつくすころ、稚魚となる。小さな無脊椎動物〔オキアミなど〕を食べるほか、サケの成魚の死骸も食べるようになる。

PARR

幼魚（パー）

パーとは、パーマークと呼ばれる楕円形の模様がある、海へ出る前の幼魚のこと。1〜3年間は淡水で生息し、昆虫などを食べる。

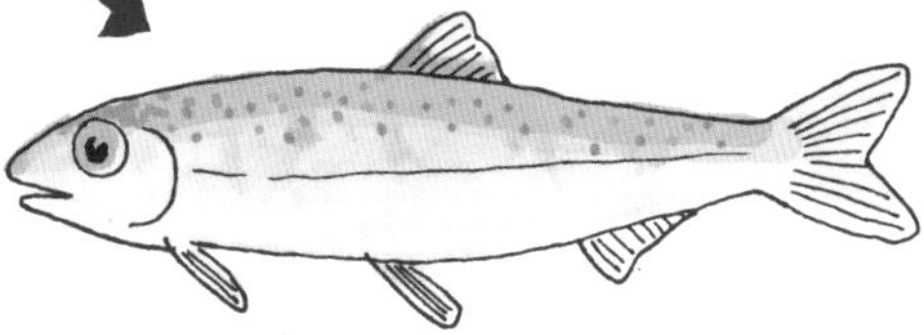

SMOLT

2年子サケ（スモルト）

体のパーマークが薄くなってスモルト化〔銀毛化《ぎんけか》、体が銀色になっていくこと〕すると、海水でも生きられるようになり、川を下って初めて外洋《がいよう》に出る。

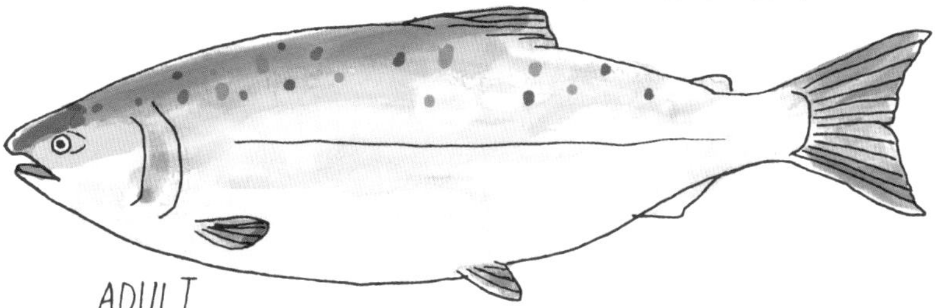

ADULT

成魚《せいぎょ》

成魚になったサケは、外洋で1〜4年の長旅のあいだに魚を食べて大きくなり、やがて故郷の川へと戻っていく。

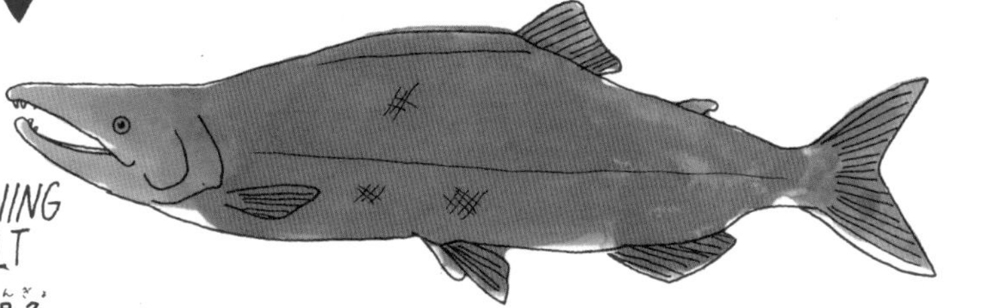

SPAWNING ADULT

産卵親魚《さんらんしんぎょ》

産卵のため、サケたちは群れをなして生まれた川へと戻っていく〔左ページ下のイラストはサケの遡上《そじょう》。急な流れをさかのぼっていく〕。淡水に適応するため、体が変化する。また卵や魚精を作るのにエネルギーを消費するため、銀色の体がだんだん黒ずんでいく。産卵と放精を終えた成魚は、メスもオスも力つきてすぐに死んでしまう。その体は、自分たちの子孫（稚魚たち）を含む、多くの動物たちのための豊かな食料源となる。

WATER BUGS
水生昆虫

MAYFLY
カゲロウ

成虫の寿命がきわめて短い〔約1～2日〕ことから、たとえばフランス語では「1日の命」「はかない」という意味のéphémère（エフェメール）と呼ばれる。

GIANT WATER BUG
タガメ

オスはたくさんの卵に覆いかぶさったり、背中に乗せて運んだりしながら、孵化するまで守り続ける。

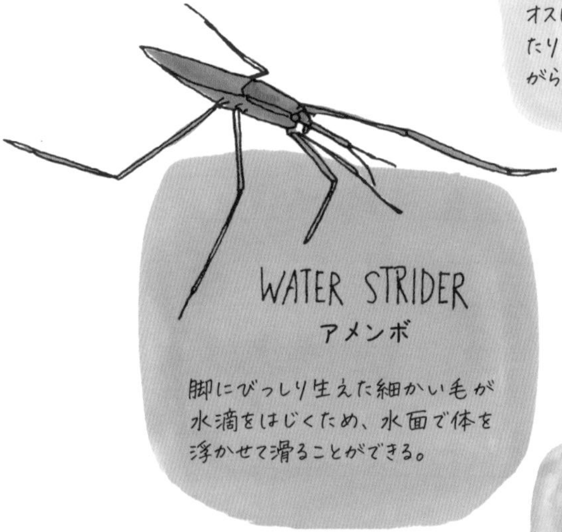

WATER STRIDER
アメンボ

脚にびっしり生えた細かい毛が水滴をはじくため、水面で体を浮かせて滑ることができる。

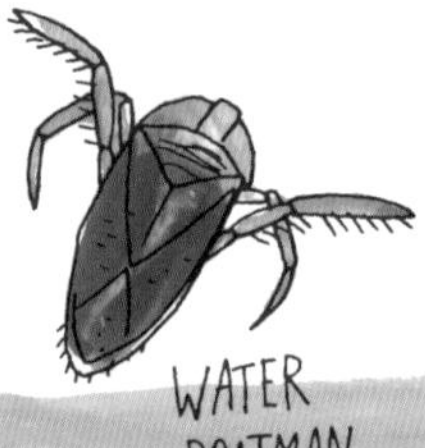

WATER BOATMAN
ミズムシ

長くて平べったい体が、池や小川の底で泳ぐのに適している。

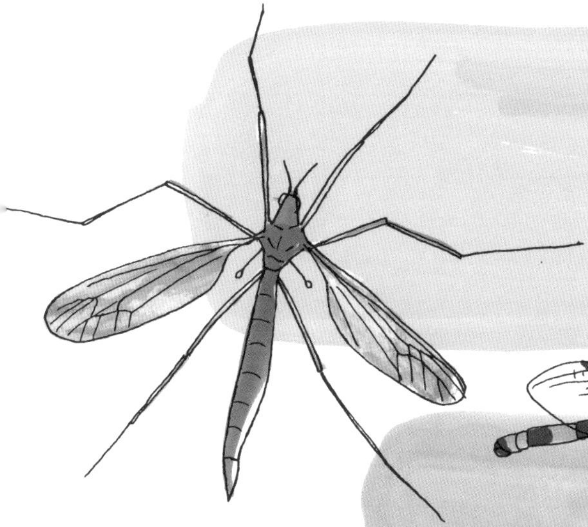

CRANEFLY
ガガンボ

成虫の寿命は短く（10～15日）、なかにはほとんどなにも食べない種類もいる。

DAMSELFLY
イトトンボ

ふつうのトンボとちがって、イトトンボは羽を閉じてとまる。

RAT-TAILED MAGGOT
オナガウジ

ナミハナアブの幼虫。「ムージー」〔英語でネズミの意味〕とも呼ばれ、氷上釣りのエサに使われる。

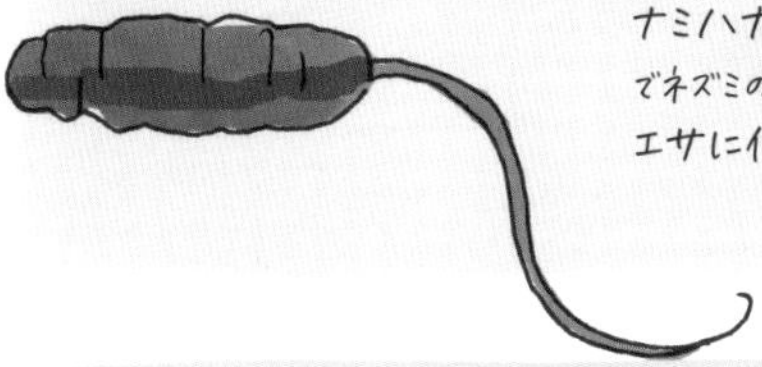

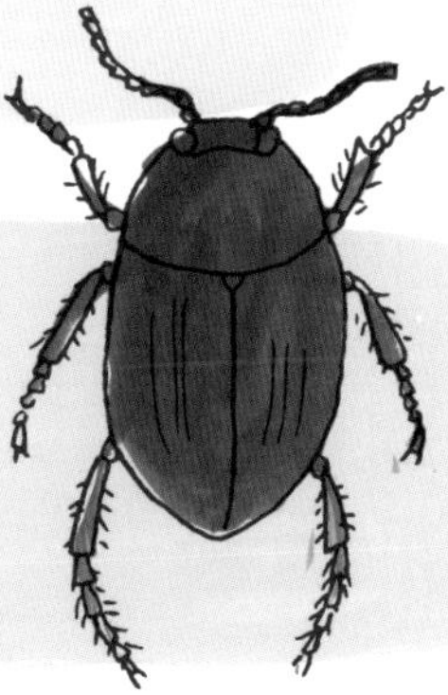

PREDACEOUS DIVING BEETLE
ゲンゴロウ

メキシコ、日本、中国、台湾、タイなどでは大きなゲンゴロウを食用にすることもある。

TOAD VS. FROG

ヒキガエル　カエル

ヒキガエル
Common toad

アメリカアマガエル
American green tree frog

ヒキガエル

- 脚が短く、歩いたりぴょんぴょんはねたりする。
- 肌は乾燥して、でこぼこしている。
- ほとんど陸上にいる。
- 歯がない。
- 眼が出っぱっていない。
- 昆虫、ナメクジ、ミミズなどを食べる。

カエル

- 脚が長く、ジャンプしたり泳いだりする。
- 肌はなめらかでしっとりしている。
- ほとんど水中にいる。
- 上あごに円錐形の小さな歯がびっしり生えている。
- 眼が出っぱっている。
- 昆虫、カタツムリ、ミミズ、小さな魚などを食べる。

カエルの
ライフサイクル
Life Cycle of a Frog

春になり、オスがにぎやかに鳴いてメスを呼び、
熱心な求愛行動を行ったあと、つがいになったカエル
たちは、水中で「アンプレクサス」と呼ばれる姿勢
〔ラテン語で抱擁を意味する〕をとって交尾を行う。
数日間続く場合もある。

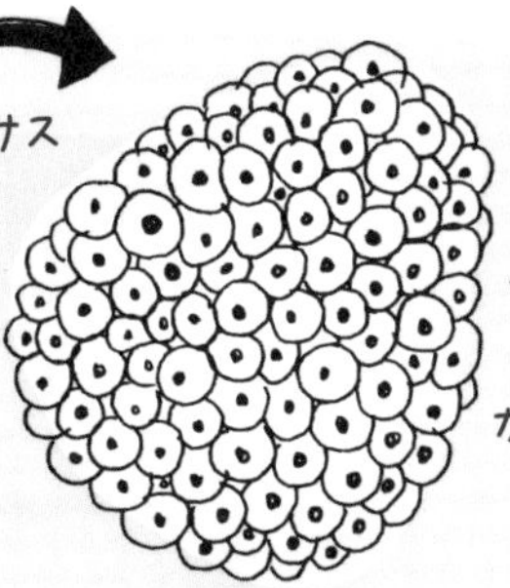

浅い水たまりで、メスのカエルが
ゼリー状の膜に覆われた
卵塊《らんかい》を産む。

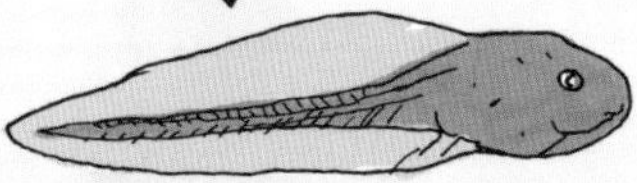

1～2週間後、
オタマジャクシが孵化する。

オタマジャクシの初期には
糸状のエラが生えているが、
成長するにつれて
数日で消えてしまう。
泳げるようになるまでは
水草にくっついて、
藻を食べている場合もある。

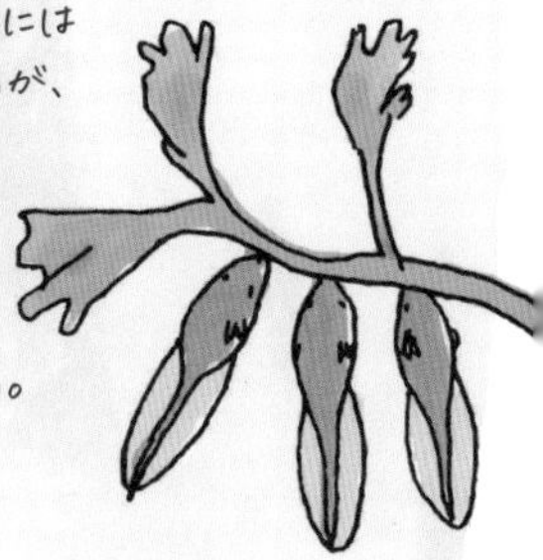

孵化から6～9週間後、
手足が成長し始める。
先に足(後肢)が出て、
そのあと立派に育った手
(前肢)が突然出てくる。

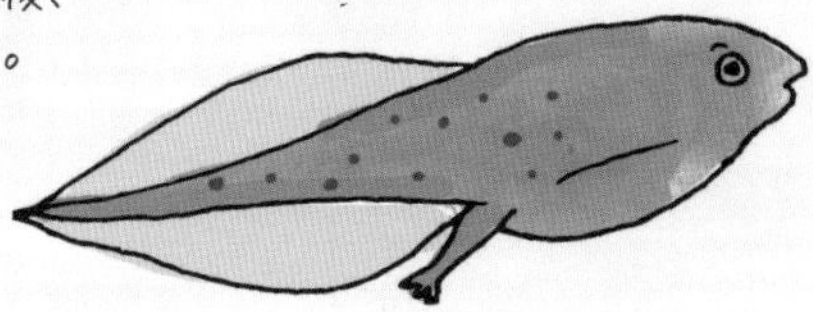

孵化から9週間後には小さなカエルのように
なるが、まだ長い尻尾が残っている。

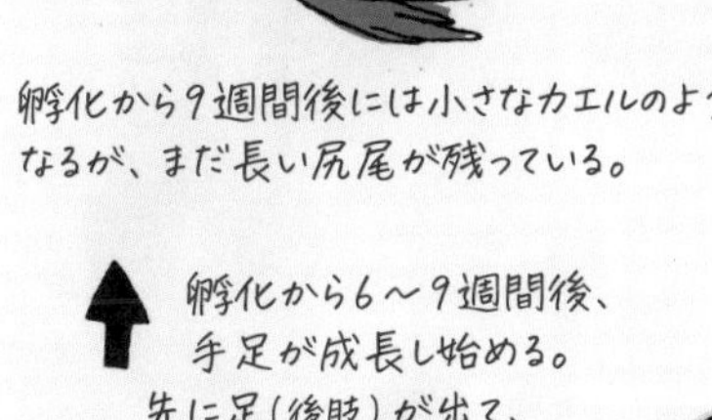

孵化から12週間後には
尻尾はだいぶ短くなっており、
やがて消えてしまう。

TIDAL ZONE ECOSYSTEM

潮《ちょう》間《かん》帯《たい》のエコシステム

〔潮間帯とは、満潮時に水面となる位置と干潮時に水面となる位置のあいだ。
通常1日2回の潮の干満によって、環境が激変する場所〕

Splash Zone 潮《ちょう》上《じょう》帯《たい》（別名：飛《ひ》沫《まつ》帯《たい》）

High Tide Zone 高《こう》潮《ちょう》帯《たい》

Low Tide Zone 低《てい》潮《ちょう》帯《たい》

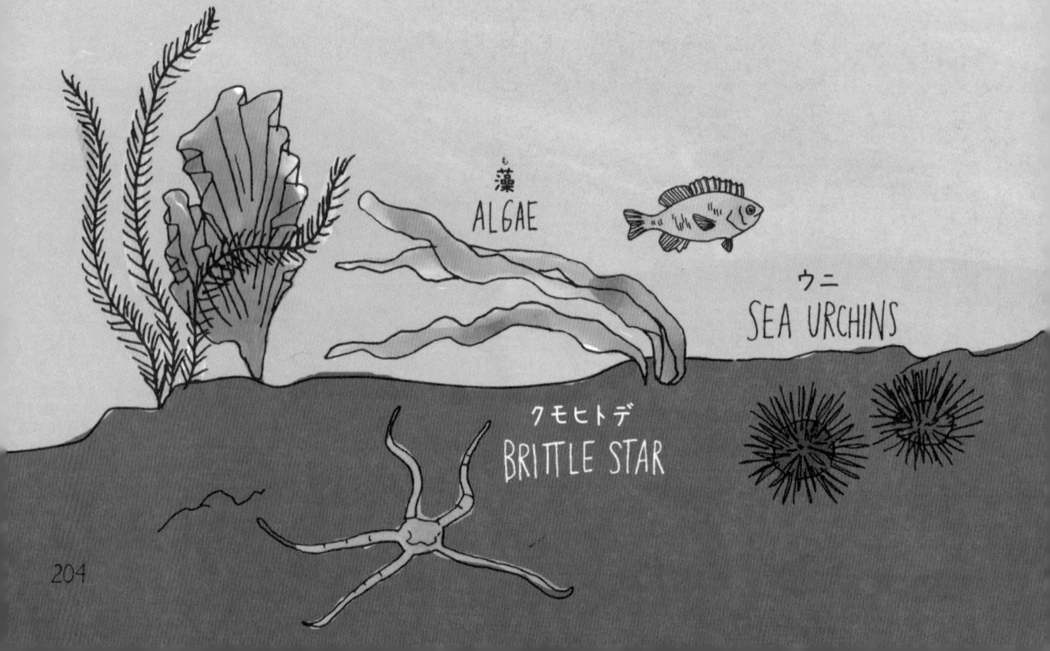

潮の満ち引きによって海面の高さが少し変化するだけでも、潮間帯にすむ生物たちの分布状況はかなり異なっていることがわかる。

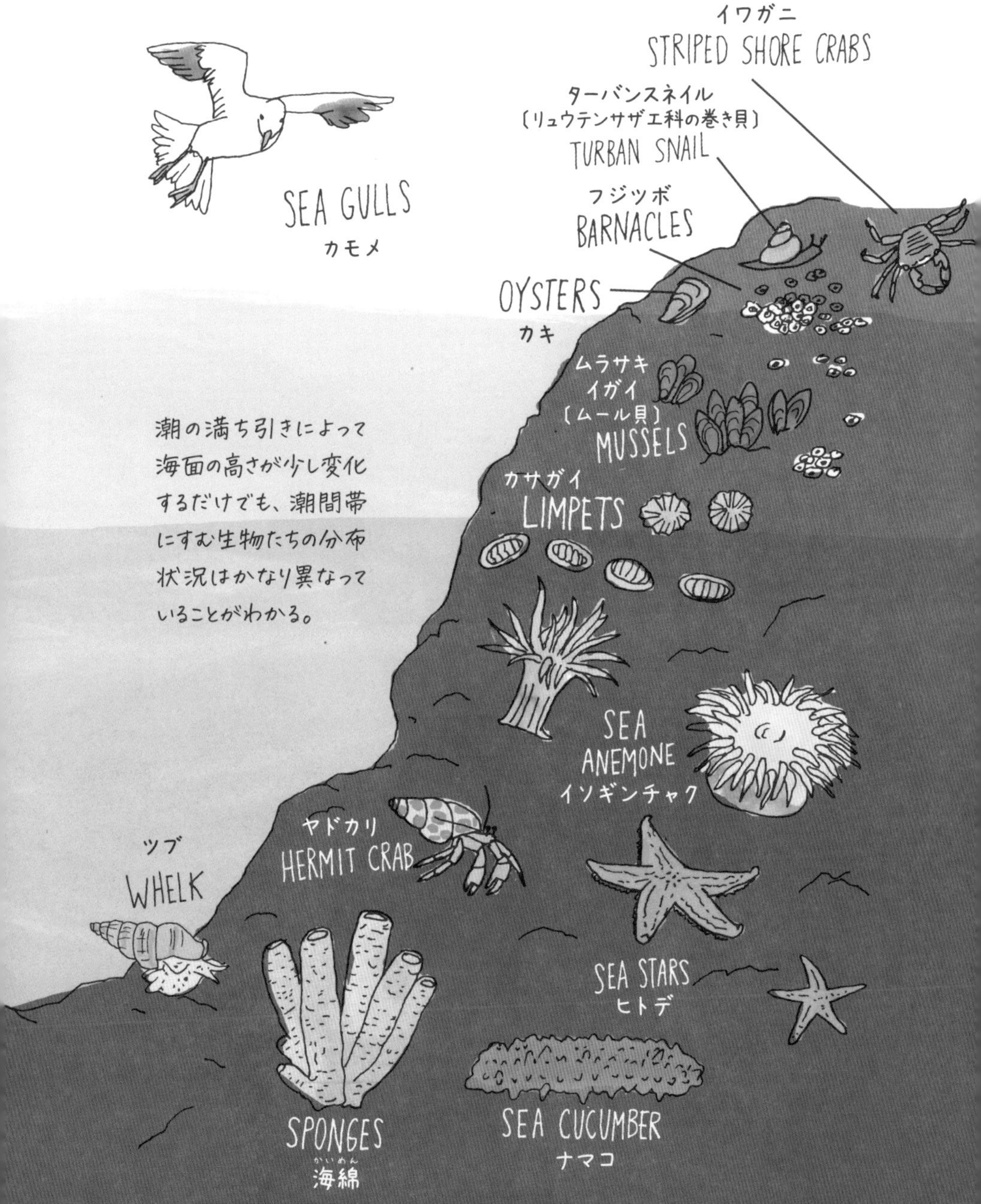

FANTASTIC SALTWATER FISH

奇想天外《きそうてんがい》な海水魚たち

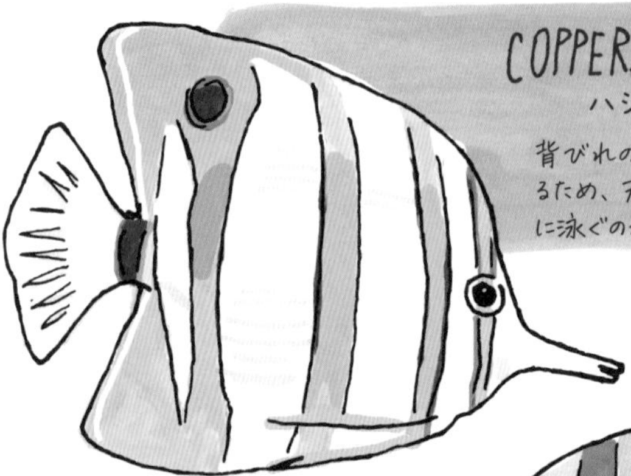

COPPERBAND BUTTERFLY FISH

ハシナガチョウチョウウオ

背びれの大きな黒い点が眼のように見えるため、天敵には、この魚がどちらの方向に泳ぐのか予測できない。

SPADEFISH

シロガネツバメウオ

幼魚のうちは体が真っ黒で、敵の眼をあざむくため、横向きになってゴミのようにふわふわと漂ってみせることがある。

DWARF SEAHORSE

ドワーフシーホース〔タツノオトシゴの一種〕

動くのがもっとも遅い魚類のひとつ（時速約1.5m）。オスの腹の下には育児嚢《いくじのう》という袋があり、卵が孵化して幼生になり、やがて稚魚になるまで袋のなかで育てる。

PIPEFISH

ヨウジウオ

タツノオトシゴに近い魚類で体が細長く、動くのが遅い。たいてい背びれだけを使って泳ぐ。

GOATFISH

ヒメジ

ヒメジはエサを食べているとき、群れで集まっているとき、休んでいるときなど、そのときどきで体の色が変わる。

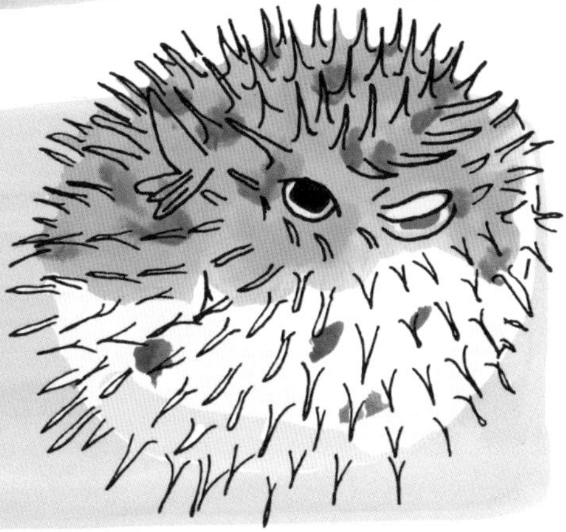

PUFFER FISH (INFLATED)

フグ（ふくらんだようす）

危険が迫ると水や空気を吸いこんで体をふくらませ、トゲトゲのボールのようになって敵を脅かす。

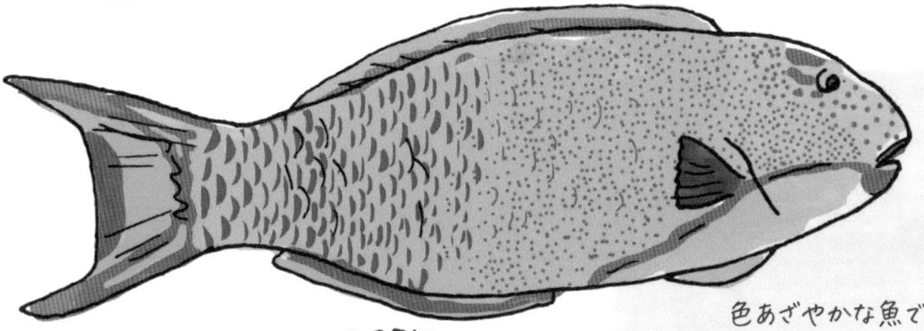

PARROT FISH

ブダイ

色あざやかな魚で、鳥のくちばしのような硬い歯をもっており、岩やサンゴに生えた藻をかじりとって食べる。

BLUEBANDED GOBY

ブルーバンデッドゴビー

〔青い縞のあるハゼ〕

群れの環境や必要性に応じて、性別を変えることができる〔たとえば、群れのオスが死んでしまった場合、いちばん体の大きなメスがオスに変わるなど。性転換する魚は300種類ほどいる〕。

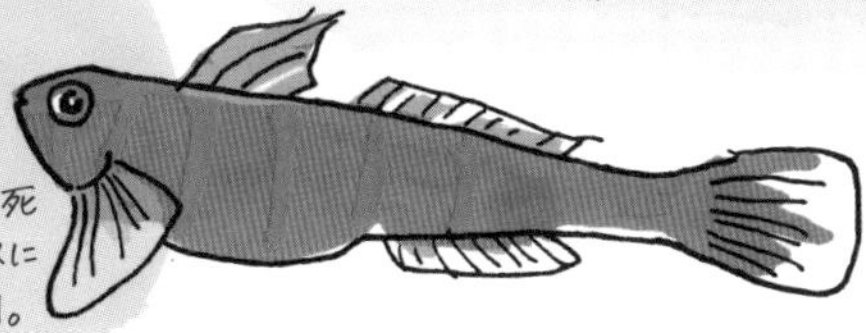

ANATOMY OF A JELLYFISH

クラゲの体の構造

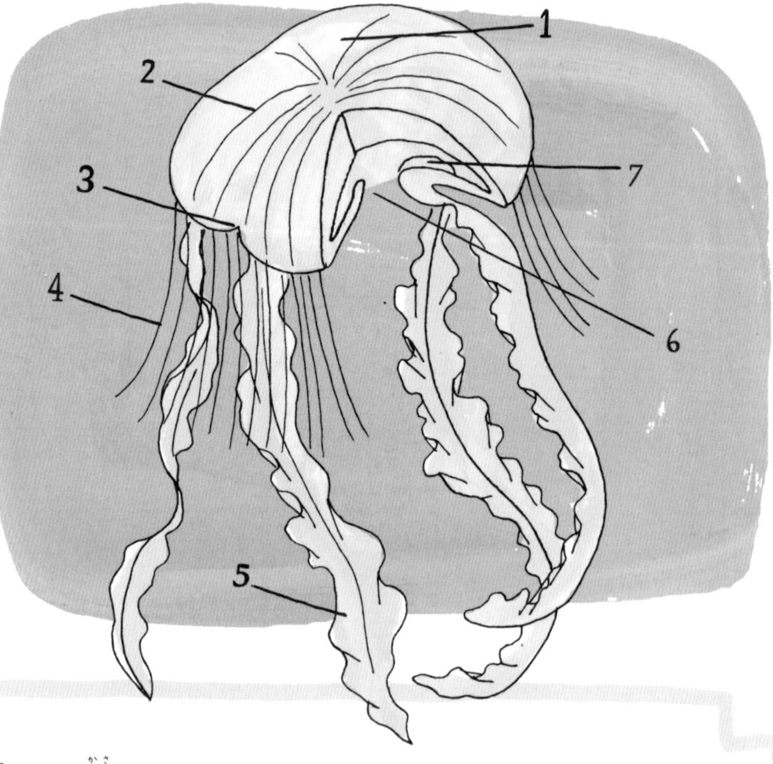

1. bell - 傘《かさ》 筋肉の働きで傘をすばやく開閉させて水を吐き出し、その勢いで前に進む。
2. canal - 水管《すいかん》 傘の中心部分から放射状に伸びているたくさんの管によって、
全身に栄養を運ぶ。これを細胞外消化という。
3. eyespot - 眼点《がんてん》 傘のふちにある明るさを感知する8つの感覚器には、眼点が
二つずつある。見えるわけではなく、明るさを感じる程度。
4. tentacle - 触手《しょくしゅ》 エサをつかまえる。
5. oral arm - 口腕《こうわん》 毒を注入してエサをとらえ、傘の中央にある口へ運ぶ。
6. mouth - 口《くち》 エサは口から胃腔《いこう》へと運ばれる。
7. gonad - 生殖巣《せいしょくそう》 精子を作る精巣、もしくは卵を作る卵巣。

キタユウレイクラゲ
〔別名ライオンタテガミクラゲ〕

LION'S MANE

世界最大のクラゲで、触手の長さが30mを超える。

MOON JELLYFISH
ミズクラゲ

水面の近くを群れで漂っているため、大型の魚やカメや海鳥などに食べられてしまうことが多い。

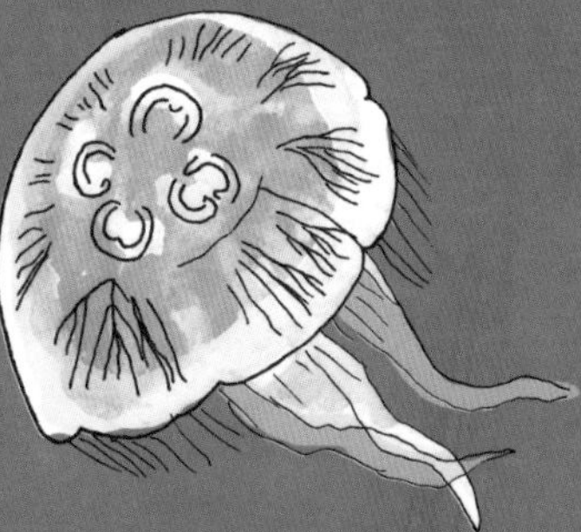

ATLANTIC SEA NETTLE
アトランティックシーネットル
〔シーネットルとはヤナギクラゲのこと〕

プランクトンしか食べないほかのクラゲとはちがって、ヤナギクラゲは触手の強力な毒を使って小魚やミミズや蚊《か》の幼虫を捕食することがわかっている。

カツオノエボシ

PORTUGUESE MAN-OF-WAR

クラゲではなくヒドロ虫の仲間。ひとつの個体に見えるが、じつは小さな個虫が集まって群れをなしている。英語名は「ポルトガルの軍艦」という意味。触手に猛毒があり、「電気クラゲ」とも呼ばれる。

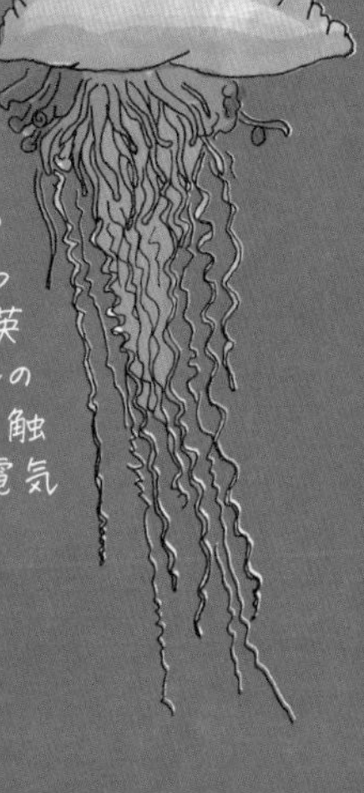

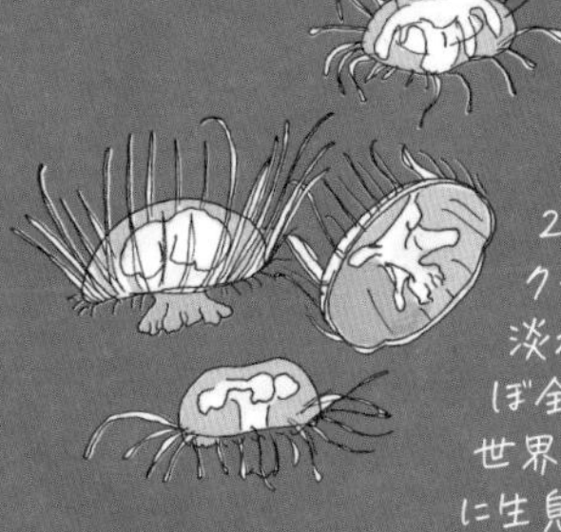

FRESHWATER
マミズクラゲ

2.5cmほどの小さなクラゲで、おだやかな淡水域で生息する。ほぼ全米で見られるほか、世界のほぼすべての大陸に生息している。

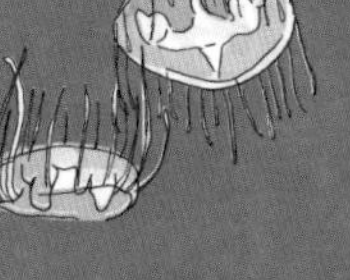

ON THE SAND
砂浜にて

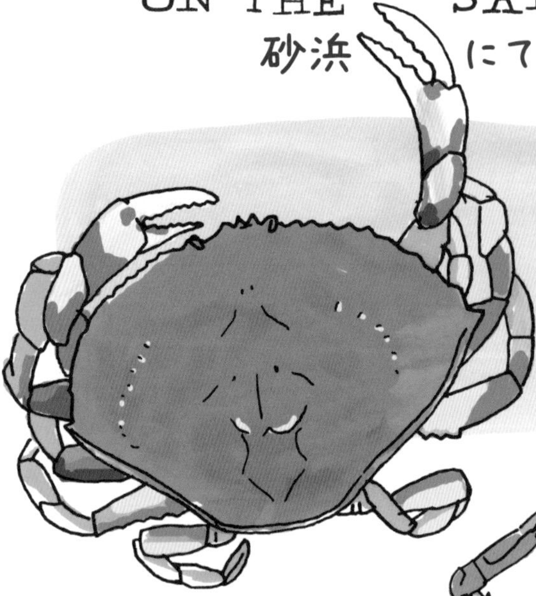

DUNGENESS CRAB
アメリカイチョウガニ

オスは性フェロモンによってつがいとなるメスを見つけると、交尾をする前の数日間、メスにぴったりと寄り添う。

ATLANTIC BLUE CRAB
アオガニ

メスが交尾をするのは一生に一度だけ。そのあとも精子を蓄えておき、200万個の卵を数回産卵する。

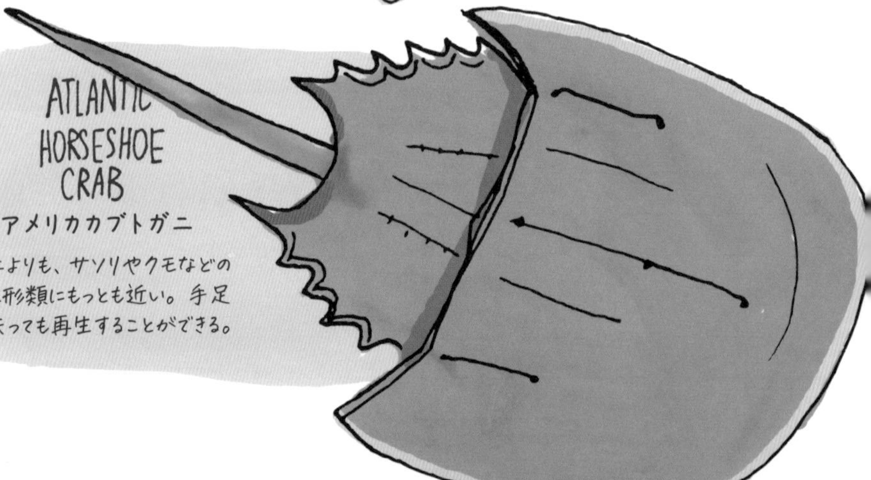

ATLANTIC HORSESHOE CRAB
アメリカカブトガニ

カニよりも、サソリやクモなどのクモ形類にもっとも近い。手足を失っても再生することができる。

MUSSELS

ムラサキイガイ〔ムール貝〕

粘着物質を含む足糸《そくし》と呼ばれる細い繊維を何本も出し、海の岩場に体をしっかりと固定する。この足糸は、外科手術などへの応用が研究されている。

HERMIT CRAB

ヤドカリ

自分で貝殻を作らず、巻き貝の貝殻を背負う。体の成長に合わせて、より大きな貝殻を見つける必要があるため、自分よりも大きなヤドカリが脱いで空っぽになった貝殻に移りすむ場合もある。

GEODUCK

アメリカナミガイ〔ミル貝〕

大きな二枚貝で、世界最大のものは長さ約90cm、重さ約900gにもおよぶ。寿命が長く、150年以上生きる場合もある。

OYSTER

カキ

カキにはたくさんの種類があり、商業用の真珠を生産できる種類もわずかに存在する。

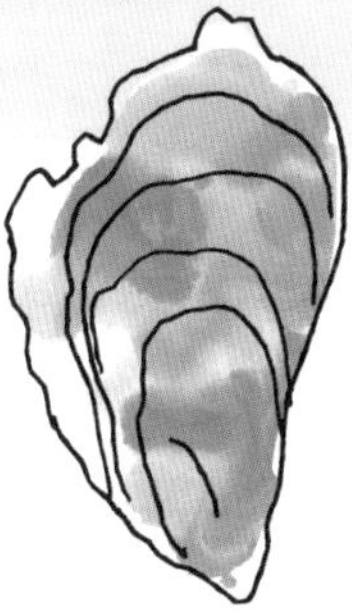

SKATE EGG CASE

ガンギエイの卵殻《らんかく》

孵化して稚魚が出ていったあとの卵の殻が、海岸に打ち上げられていることがある。

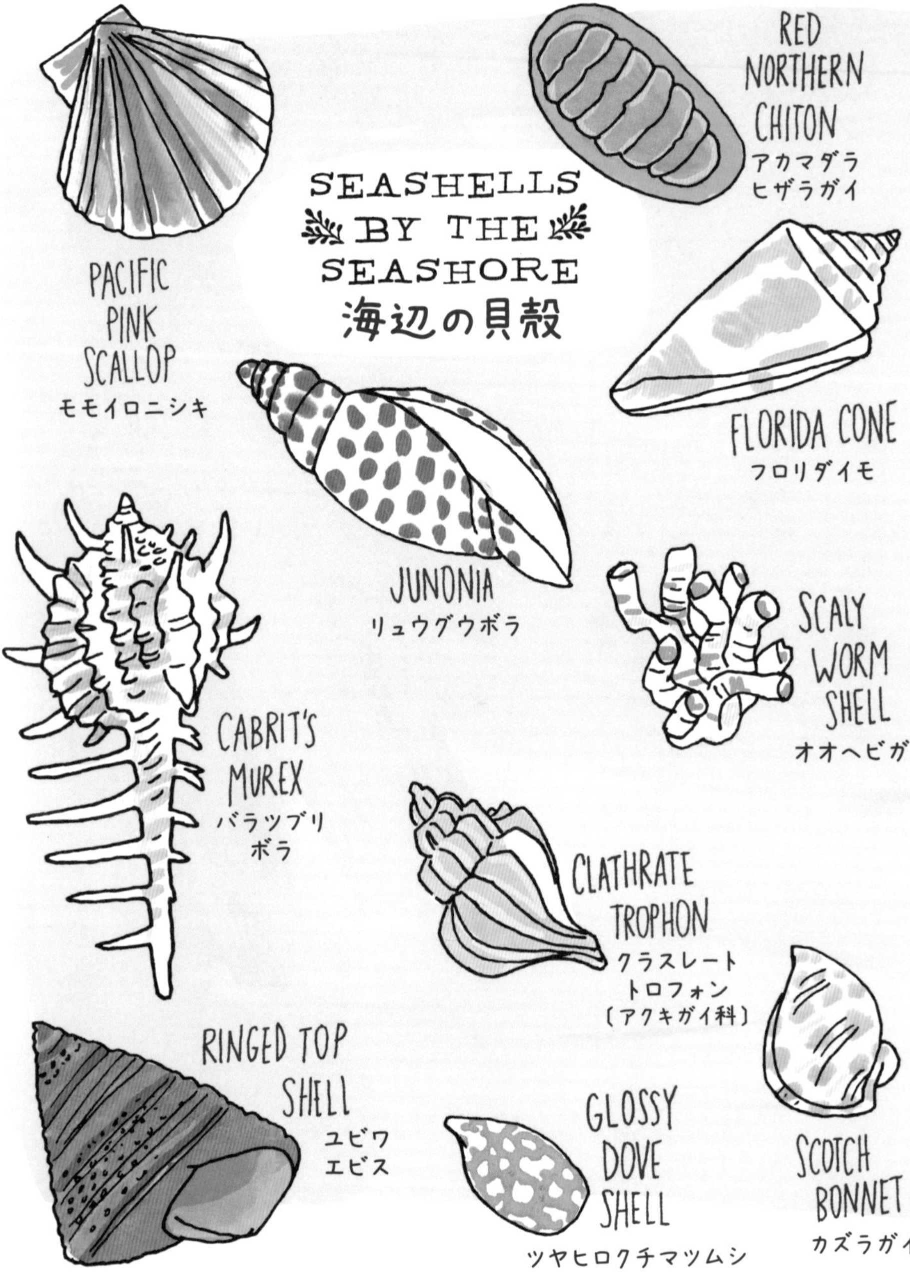
SEASHELLS BY THE SEASHORE
海辺の貝殻
PACIFIC PINK SCALLOP
モモイロニシキ
RED NORTHERN CHITON
アカマダラヒザラガイ
FLORIDA CONE
フロリダイモ
JUNONIA
リュウグウボラ
CABRIT'S MUREX
バラツブリボラ
SCALY WORM SHELL
オオヘビガイ
CLATHRATE TROPHON
クラスレートトロフォン
〔アクキガイ科〕
RINGED TOP SHELL
ユビワエビス
GLOSSY DOVE SHELL
ツヤヒロクチマツムシ
SCOTCH BONNET
カズラガイ

ANTILLEAN TUSK
ツノガイ類
HAWK-WING CONCH
タカノハソデ
TURBONILLE
イトカゲギリ属
ROSE PETAL TELLIN
ブラジルザクラ
STRIATE MARGARITE
ストライエト
マルガリーテ
〔エゾシタダミ属〕
ATLANTIC YELLOW COWRY
アトランティック
イエローカウリー
〔タカラガイ科〕
GIANT PACIFIC OYSTER
マガキ
フックトマセル
〔イガイ科〕
HOOKED MUSSEL
MASK LIMPET
マスクリンペット
〔ユキノカサガイ科〕
ジャックナイフガイ〔マテガイモドキ属〕
ATLANTIC JACKKNIFE CLAM
イエロー
コックル
〔ザルガイ科〕
YELLOW COCKLE

SOME SEAWEED
海藻類

GIANT KELP
オオウキモ

成長のスピードが速く1日50cm
以上も伸び、3mほどに達する。

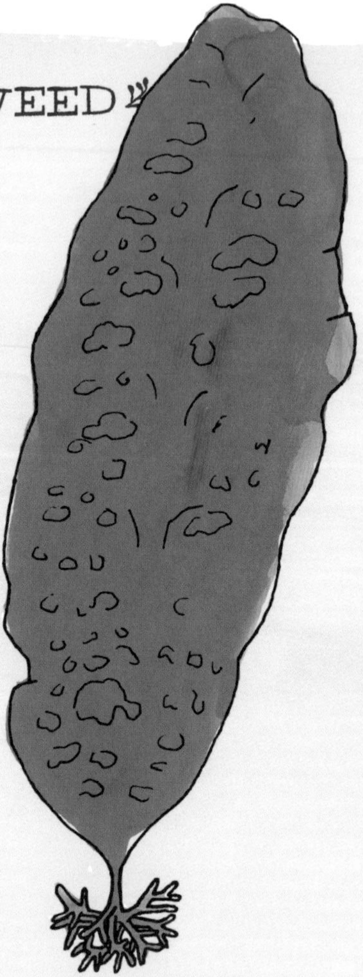

SUGAR WRACK
カラフトコンブ

波のおだやかな場所を好む。

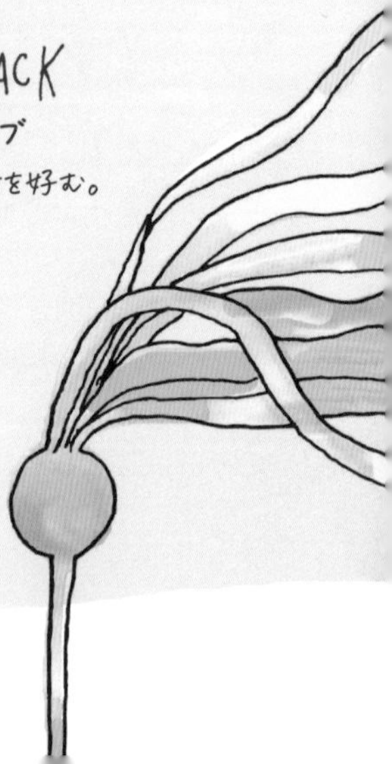

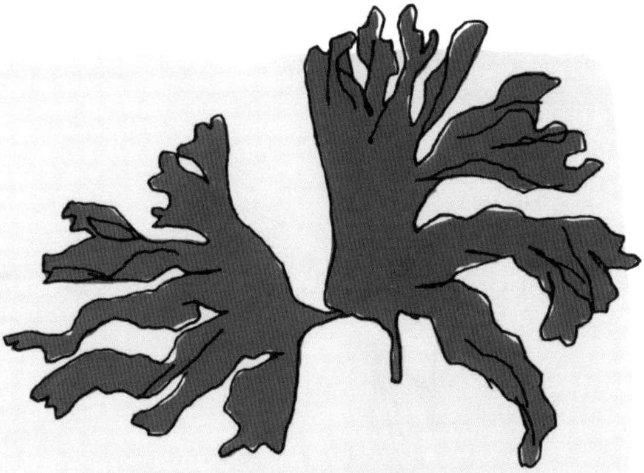

DULSE

ダルス

北大西洋沿岸でよく見られる。栄養価が高く、調味料のグルタミン酸ナトリウムのかわりに風味づけに使われることもある。

SEA LETTUCE

アオサ

食べやすく、タンパク質や鉄分を豊富に含む。

ROCKWEED

ロックウィード

〔ヒバマタ科の海藻〕

古くからヨウ素の供給源として用いられてきた。

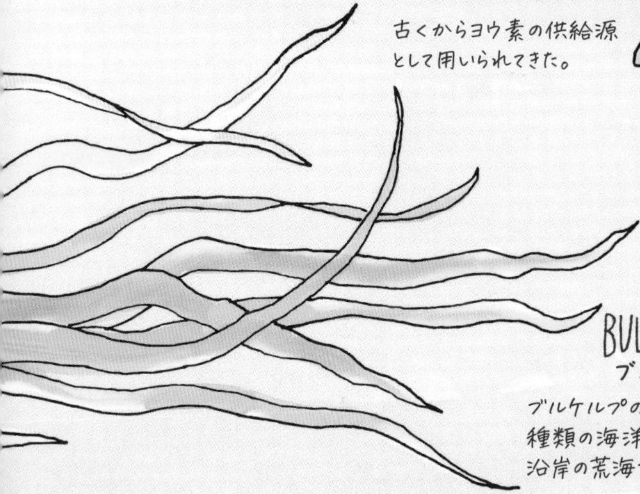

BULL KELP

ブルケルプ

ブルケルプの群生地には、数十種類の海洋生物がすんでいる。沿岸の荒海でよく育つ。

HARVESTING, PROCESSING, AND EATING SEAWEED

海藻を収穫し、加工して食べる

海藻はスーパーフード。カルシウムやカリウム、ビタミンA、ビタミンC、ヨウ素などを大量に含んでいる。海藻の収穫は、場所によっては特定の時期に限定され、許可証や免許が必要な場合もある。食べられる海藻を正しく見分ける方法を学び、水がきれいな場所を選んで収穫しよう。

海藻の収穫は干潮時のほうがはるかに簡単なので、公式の潮汐表《ちょうせきひょう》〔満潮と干潮の時刻と潮位の予報を記した表〕で地域の状況を確認しておくとよい。

頑丈なハサミを使って、海藻の茎から葉を数枚切り取る。よく茂っている海藻を選んで収穫しよう。海辺に打ち上げられた海藻は鮮度がよくわからないため避けたほうがよい（ただし、古い海草は菜園や花壇の土壌改良に役立つ）。

日当たりのよい平らな場所で数時間、海藻を乾燥させる。食品乾燥機を使ってもよい。乾燥したら、密閉容器や袋に入れて保存する。

生の海藻はきゅうりやごまと合わせた酢の物〔米酢に醤油と砂糖を加え、具材を和える〕にして食べるとおいしい。乾燥させた海藻はスープやサラダに加えたり、トレイルミックス〔アウトドア用の栄養食品〕に混ぜたりするとよい。

Seaweed Facial Mask

海藻のフェイシャルマスク

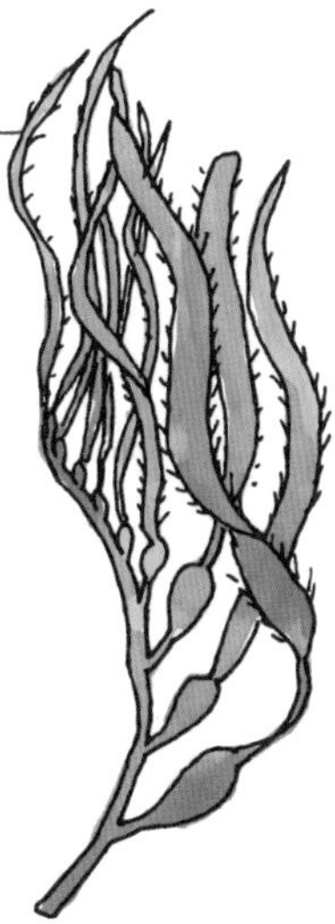

- 乾物の昆布 … 4枚
- ぬるま湯
- アロエベラジェル … 大さじ1
- 熟したバナナ … 1/4本

すり鉢とすりこぎ、または電動のコーヒーミルを使って、
昆布を細かい粉状にする。
ボウルに粉状にした昆布大さじ1、ぬるま湯少々、
アロエベラジェルを入れ、フォークで混ぜる。
そこに熟したバナナを加え、フォークでつぶす。
必要に応じてぬるま湯を加え、なめらかになるまで混ぜる。

海藻マスクを顔に薄く塗り、15～20分ほどおいたら
ぬるま湯で洗い流す。

天然のフェイシャルマスク、ぜひ毎週のスキンケアに加えてみよう。

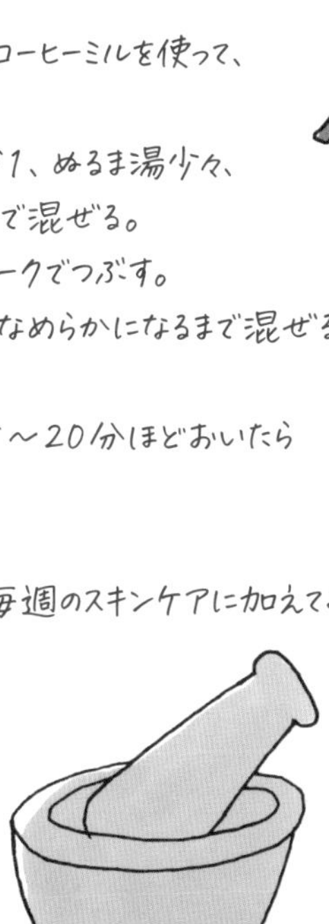

A NOTE ABOUT CONSERVATION
自然保護について

自然界のあらゆる部分は密接につながっています。そのため、生態系の一部に生じたわずかな変化が地域全体の健全性や生物多様性に大きな影響をもたらす可能性があります。

自然には驚くべき回復力や適応力がありますが、現在、地球では広範囲におよぶ種の絶滅が進行していることは明らかです。自然生息地のほとんどは、人間の侵略によって脅かされています。手つかずの森林や海、湿地、草原を保護することは、絶滅の危機に瀕している種の生存のためにも、地球の将来の健全性のためにも、きわめて重要です。

わたしたち一人ひとりが自然を保護し、無駄な消費を控える取り組みに参加することが、環境によい変化をもたらします。地球の生物多様性を守るために、地元の自然保護団体や野生生物保護協会、生物多様性センター、環境保全基金、アースワークス〔環境保全団体〕、シエラクラブ基金、環境保護のための有権者教育基金などで情報を調べ、いろいろなことを学びましょう。

どこに住んでいても、身近な自然とつながって大切にしよう。

BIBLIOGRAPHY
参考文献

Alden, Peter, Richard P. Grossenheider, and William H. Burt. *Peterson First Guide to Mammals of North America*. Boston: Houghton Mifflin, 1987.

Baicich, Paul J., and Colin J. Harrison. *Nests, Eggs, and Nestlings of North American Birds*. Princeton, NJ: Princeton University Press, 2005.

Editors of Reader's Digest. *Book of North American Birds: An Illustrated Guide to More Than 600 Species*. New York: Reader's Digest Assoc. 2012.

Chesterman, Charles W. *The Audubon Society Field Guide to North American Rocks and Minerals*. New York: Knopf, 1978.

Coombes, Allen J. *Trees*. New York: Dorling Kindersley, 2002.

National Audubon Society. *Familiar Flowers of North America: Eastern Region*. New York: Knopf Distributed by Random House, 1986.

Filisky, Michael, Roger T. Peterson, and Sarah Landry. *Peterson First Guide to Fishes of North America*. Boston: Houghton Mifflin, 1989.

Hamilton, Jill. *The Practical Naturalist: Explore the Wonders of the Natural World*. New York: DK Publishing, 2010.

Laubach, Christyna M., René Laubach, and Charles W. Smith. *Raptor! : A Kid's Guide to Birds of Prey*. North Adams, MA: Storey Publishing, 2002.

Little, Elbert L., Sonja Bullaty, and Angelo Lomeo. *The Audubon Society Field Guide to North American Trees*. New York: Knopf Distributed by Random House, 1980.

Mäder, Eric. *Attracting Native Pollinators: Protecting North America's Bees and Butterflies: the Xerces Society Guide*. North Adams, MA: Storey Publishing, 2011.

Mattison, Christopher. *Snake*. New York: DK Publishing, 2006.

Milne, Lorus J., and Margery J. Milne. *The Audubon Society Field Guide to North American Insects and Spiders*. New York: Knopf Distributed by Random House, 1980.

Moore, Patrick, and Pete Lawrence. *The New Astronomy Guide : Stargazing in the Digital Age*. London: Carlton, 2012.

Pyle, Robert M. *The Audubon Society Field Guide to North American Butterflies*. New York: Knopf Distributed by Random House, 1981.

Rehder, Harald A., and James H. Carmichael. *The Audubon Society Field Guide to North American Seashells*. New York: Knopf Distributed by Random House, 1981.

Scott, S D., and Casey McFarland. *Bird Feathers: A Guide to North American Species*. Mechanicsburg, PA: Stackpole Books, 2010.

Sibley, David. *The Sibley Guide to Birds*. New York: Alfred A. Knopf, 2000.

Spaulding, Nancy E., and Samuel N. Namowitz. *Earth Science*. Evanston, Ill: McDougal Littell, 2005.

Wernert, Susan J. *Reader's Digest North American Wildlife*. Pleasantville, NY: Reader's Digest Association, 1982.

Thank You!

謝辞

本書のプロジェクトには膨大な時間がかかり、多くの方々のお世話になりました。まっさきに感謝したいのは、担当編集者のリサ・ハイリーです。驚くほど粘り強く、細やかな気配りをしてくださり、いつだって一緒に仕事をするのが楽しい人です。わたしが努力を惜しまないことを信じ、励ましの声を送り続けてくれたデボラ・バルマスにも、いつものようにデザインの専門知識で協力してくれたアリシア・モリソンにも、ストーリー社の親切なチームのみなさんにも感謝します。また、最初にブレインストーミングを何度も行ってくれたパム・トンプソンに、心よりお礼申し上げます。

本書の執筆に協力してくれた友人のジョンには、すばらしいアイデアや興味深い情報をたくさん提供していただき、感謝しています。彼の卓越した知識やリサーチ、工夫を凝らした言葉選びのおかげで、見事な仕上がりになりました。

また本書では、思いがけず両親の手も借りることになりました。締切に間に合わないとあせっていたとき、母がページの色塗り(細密な部分はすべて)を手伝ってくれ、父がページのスキャン作業をしてくれたのです――まさに家族一団となってがんばりました。両親がいまもこうして支えてくれることを、とてもありがたく思っています。

アフリカですばらしいプロジェクトに取り組んでいる姉は、霊長類の調査や、地域住民を対象とした自然保護に関する教育を行っています。ことしウガンダにいる姉のもとを訪ねたことほどわたしにとって刺激的なことはなく、物事をもっと広い視野で見るようになりました。こうした重要な社会的課題に対する彼女の献身には、畏敬の念を覚えます。彼女の研究に関する詳しい情報については、https://wildlifenutrition.org/をご参照ください。

わたしのアシスタントで才気あふれる画家のサラ・グリーンにも感謝します。彼女があの手際のよさと軽快な口笛で助けてくれなかったら、この仕事は終わらなかったでしょう。

最後に、デザインと人生について、つねに的確なアドバイスをくれるジェニーとマットに感謝します。これからもずっとよろしく。そして、友人のサントゥとルディにハグを!

文・絵

ジュリア・ロスマン

ニューヨーク市ブルックリン在住のイラストレーター。本や雑誌、新聞のほか、壁紙、文具、地下鉄ポスター、ファブリック、食器など、多くの分野にイラストが採用されている。2017年米国イラストレーター協会賞など、受賞多数。ANATOMYシリーズは大人気のベストセラーとなり、ニューヨークタイムズ、ボストン・グローブ紙などで高い評価を得ている。本書のほか、『FOOD ANATOMY（フード・アナトミー）食の解剖図鑑〜世界の「食べる」をのぞいてみよう』（大和書房）が邦訳されている。

協力 **ジョン・ニークラス**

訳者

神崎朗子

翻訳家。上智大学文学部英文学科卒業。訳書『花の子ども』オイズル・アーヴァ・オウラヴスドッティル、『存在しない女たち』キャロライン・クリアドﾆペレス、『食事のせいで、死なないために』マイケル・グレガー／ジーン・ストーン、『フランス人は10着しか服を持たない』ジェニファー・L・スコット、『FOOD ANATOMY（フード・アナトミー）』ジュリア・ロスマンほか多数。

ネイチャー・アナトミー

NATURE ANATOMY

自然界《しぜんかい》の解剖図鑑《かいぼうずかん》

地球《ちきゅう》の不思議《ふしぎ》をのぞいてみよう

2023年8月1日　第1刷発行

著　者――ジュリア・ロスマン
訳　者――神崎朗子《かんざきあきこ》
発行者――佐藤 靖
発行所――大和《だいわ》書房
東京都文京区関口1-33-4 〒112-0014
電話 03-3203-4511

装　丁――塙 美奈［ME&MIRACO］

印　刷――歩プロセス
製　本――ナショナル製本

ISBN978-4-479-39408-2

http://www.daiwashobo.co.jp